CHRISTOPH MARTIN WIELAND

MUSARION

ODER
DIE PHILOSOPHIE DER GRAZIEN

EIN GEDICHT IN DREI BÜCHERN

MIT ERLÄUTERUNGEN UND
EINEM NACHWORT HERAUSGEGEBEN
VON ALFRED ANGER

PHILIPP RECLAM JUN. STUTTGART

Universal-Bibliothek Nr. 95

Gesetzt in Petit Garamond-Antiqua. Printed in Germany 1974
Herstellung: Reclam Stuttgart
ISBN 3-15-000095-5

Musarion,

oder

die Philosophie der Grazien.

Ein Gedicht,

in drey Büchern.

Leipzig,

bey Weidmanns Erben und Reich, 1768.

An Herrn Creyßsteuereinnehmer Weisse[1] in Leipzig.

Unser schätzbarer Freund, Herr Reich[2], schreibt mir, daß er der Versuchung nicht widerstehen könne, etliche Ballen holländisches Papier, die ihm neulich angekommen, zu einer neuen Ausgabe unsrer Musarion anzuwenden. Er sieht sich gewissermaßen als den Pflegevater dieser Schülerinn der Grazien an, und ist parteyisch genug für seine angenommene Tochter, sie so niedlich geputzt sehen zu wollen, als nur immer möglich ist.

Ob ihre Liebenswürdigkeit diese kleine Schwärmerey rechtfertige, würde, wenn ich Ihren Beyfall, mein vortrefflicher Freund, für eben so gerecht, als gütig halten dürfte, keine Frage mehr seyn. Und warum sollte ich aus lauter Bescheidenheit gegen das Urtheil eines *Weisse* so unbillig seyn, ein Mißtrauen in den Werth desjenigen zu setzen, was ihm gefallen, und, wenn ich auch die Hälfte der Energie seiner Ausdrücke auf Rechnung der Freundschaft setze, so vorzüglich gefallen hat? – Nein, es würde nicht Bescheidenheit, Gleißnerey würde es seyn; und von dieser Sünde wenigstens wird mich, wie ich hoffe, Herr Ziegra[3] selbst freysprechen.

Ich gestehe es Ihnen also, mein liebenswürdiger Freund, daß ich, seit dem Ihr vollgültiger Beyfall, und das günstige Urtheil so vieler andrer Kenner, welches ich für eine Art von Gewähr für die Stimme aller guten Köpfe ansehen kann, mein eignes Gefühl über diesen Punkt gerechtfertiget hat, daß ich erfreut bin, meine Absicht nicht verfehlt, und nach so vielen allzu unvollkommnen Versuchen endlich etwas hervorgebracht zu haben, dem ich Leben genug zutrauen darf, um alsdann noch zu seyn, wenn wir gekommen seyn werden, quo pius Aeneas, quo Tullus dives et Ancus[4].

Denn weil ich nun einmal im Bekennen bin, so gestehe ich Ihnen auch, daß dasjenige, was man sonst von allen Schriftstellern sagt, „daß sie sich selbst, sogar wider ihren Willen, in ihren Werken abbilden", in diesem Gedichte eine meiner Absichten war. Ich wollte, daß eine getreue Abbildung der Gestalt meines Geistes (die von einigen, theils aus Blödigkeit ihres eignen, theils aus zufälligen Ursachen, vielleicht auch aus Vorsatz und Absichten, mißkannt worden ist) vorhanden seyn sollte; und ich bemühete mich, Musarion zu einem so vollkommenen Ausdruck desselben zu machen, als es neben meinen übrigen Absichten nur immer möglich war. Ihre Philosophie ist diejenige, nach welcher ich lebe; ihre Denkart, ihre Grundsätze, ihr Geschmack, ihre Laune sind die meinigen. Das milde Licht, worinn sie die menschlichen Dinge ansieht; dieses Gleichgewicht zwischen Enthusiasmus und Kaltsinnigkeit, worein sie ihr Gemüth gesetzt zu haben scheint; dieser leichte Scherz, wodurch sie das Überspannte, Unschickliche, Schimärische, (die Schlacken, womit Vorurtheil, Leidenschaft, Schwärmerey und Betrug, beynahe alle sittlichen Begriffe der Erdbewohner zu allen Zeiten, mehr oder weniger verfälscht haben,) auf eine so sanfte Art, daß sie gewissen harten Köpfen unmerklich ist, vom wahren abzuscheiden weiß; diese sokratische Ironie, welche mehr das allzustrenge Licht einer die Eigenliebe kränkenden oder schwachen Augen unerträglichen Wahrheit zu mildern, als andern die Schärfe ihres Witzes zu fühlen zu geben sucht; diese Nachsicht gegen die Unvollkommenheiten der menschlichen Natur – welche, (lassen Sie es uns ohne Scheu gestehen, mein Freund,) mit allen ihren Mängeln doch immer das liebenswürdigste Ding ist, das wir kennen. – Alle diese Züge, wodurch Musarion einigen modernen Sophisten und Hierophanten[5], Leuten, welche den Grazien nie geopfert haben, zu ihrem Vortheile so unähnlich wird – diese Züge – ja mein liebster Freund, sind die Lineamenten meines eignen Geistes und Herzens, und ich wage es, um so dreister es zu sagen, da sich unter unsern Zeitgenossen, und in der That unter den Menschen aller Zeiten, keine geringe Anzahl befindet, denen ein moralisches Gesichte, das dem ihrigen so wenig gleicht, nothwendig häßlich vorkommen muß. Von Herzen gern sey ihnen das Recht zugestanden, davon zu urtheilen, wie sie können: genug für mich, wenn

Musarion und ihr Verfasser allen denen lieb ist, und es immer bleiben wird, welche in diesen Zügen ihre eignen erkennen. Weiter wird mein stolzester Wunsch niemals gehen; und so wünsche ich, wie Sie sehen, nichts als was ich gewiß bin, zu erhalten, oder Helvetius[6] und die Erfahrung müssen Unrecht haben.

Sie wissen, mein Freund, daß ich überhaupt Ursache habe, über die Aufnahme, dieses mehr den Grazien und ihren Günstlingen, als dem Geschmack und Genius unsrer Zeiten gewidmeten Gedichts, vergnügt zu seyn; man sagt mir, daß sogar diejenigen unter den Journalisten, welche mir bisher keine Ursache gegeben haben, mich ihrer Billigkeit oder Bescheidenheit zu rühmen, (einen einzigen ausgenommen, der eher ein Gegenstand des Mitleidens, als der Peitsche würdig scheint, womit er zeither von einem mehr als juvenalischen[7] Satyr gezüchtiget worden ist) sich von den Reizungen unsrer schönen Griechinn haben verführen lassen, günstiger von ihr zu sprechen, als ich erwartet hatte. Bey alle dem deucht mich doch, daß selbst die wenigen unter den öffentlichen Beurtheilern, welche gewohnt sind zu denken, ehe sie schreiben, vielleicht nicht Muße gehabt haben, sich die Philosophie der Grazien genau genug bekannt zu machen, um den wahren Plan, den Zusammenhang der Grundsätze, und die eigentlichen Absichten dieses Gedichts, (außer derjenigen, wovon ich Ihnen vorher sagte) zum Gebrauche der Bedürftigen richtig genug zu entwickeln. Ich rede hier von einer bessern Art von Köpfen, als es die schulgerechten Philosophen v e l q u a s i sind, von denen geschrieben stehet[8]:

Die Herren dieser Art blendt oft zu vieles Licht,
Sie sehn den Wald vor lauter Bäumen nicht.

Es ist unnöthig, mich hierüber deutlicher zu erklären; ich erwähne dessen auch nur, um Ihnen zu sagen, was mich beynahe veranlaßt hätte, eine kleine Verrätherey an der guten Musarion zu begehen, und alles zu entdecken, was diejenigen, denen die Grazien günstig sind, schon lange wissen, und was nur denen verborgen bleibt, die nichts davon wissen sollen, weil Musarion

Nicht ihres gleichen zu entzücken

gemacht worden ist. Indem ich Ihnen dieses sage, habe ich die Ursache schon angegeben, warum ich den ersten Gedanken, eine so überflüßige Arbeit zu thun, wieder unterdrücke. Und hier werde ich versucht, eine andere Verrätherey zu begehen, und Ihnen eine kleine Stelle aus einer gewissen *Psyche*[9], die Ihnen nicht ganz unbekannt ist, abzuschreiben, welche das, was ich itzt in Gedanken habe, besser ausdrückt, als ich es auf andre Weise thun könnte. Mir deucht diese Versuchung so unschuldig, daß ich, um sie los zu werden, am besten thun werde, ihr zu unterliegen. Hier ist die Stelle:

Man weiß, daß Pilpai[10], Trismegist[11],
Und Plato selbst sich oft herabgelassen,
Was von der Geisterwelt zu sagen räthlich ist,
In eine Art von Mährchen zu verfassen,
Wobey, so blau[12] sie auch beym ersten Anblick sind,
Der beste Kopf genug zu denken findt.

Die Mode war in jenen alten Tagen
Die tiefe Weisheit gern in Bildern vorzutragen;
Und klüglich wie uns deucht; denn ungebrochnes Licht
Taugt ganz gewiß für blöde Augen nicht.

Die Wahrheit läßt sich nur Adepten
Gewandloß sehn; und manches schwache Haupt,
Das ungestraft sie anzugaffen glaubt,
Erfährt das Loos der alten Nympholepten[13],
Und läßt, indem es gafft, für einen Augenblick
Zweydeut'ger Lust, sein Bißchen Witz zurück.

Ein Schleyer, wie der Morgenländer
Um seine Dame zieht, nicht eben siebenfach,

Doch auch so gläsern nicht wie coische Gewänder[14],
Verhütet sehr bequem dergleichen Ungemach.

Liebhaber, die mit Witz Geschmack verbinden,
Gewinnen noch dabey: Sie finden
In einem Putz, der weder schwimmt noch preßt,
Viel schönes sehn, doch mehr errathen läßt,
Die Wahrheit, so wie andre Schönen,
Nur desto reizender. Den andern Erdensöhnen
Gefällt doch wenigstens die schöne Stickerey,
Der reiche Stoff, der Farben Spiel und Leben,
Sie würden um den Putz die Dame selber geben,
Und was verlören sie dabey?

Und das ist nun alles, was ich, bey Gelegenheit der gegenwärtigen Ausgabe, über Musarion zu sagen habe, und vielleicht schon mehr, als ein Verfasser von sich selbst und seinen Werken sagen sollte. Doch ehe ich mich von Ihnen beurlaube, mein theurester Freund, werde ich versucht, den Schmerz öffentlich sehen zu lassen, den ich über die unglückliche Fehde[15] empfinde, welche ein den Musen gehässiger Dämon zwischen meinem alten verdienstvollen Freunde, dem Herrn Bodmer, und dem vortrefflichen Verfasser der Beyträge zum deutschen Theater angezettelt hat. Ich weiß es nur zu wohl, mein würdiger Freund, daß Sie der leidende Theil sind; mit freundschaftlichem Unmuth habe ich den Angriffen, über welche sich Ihre Muse zu beschweren hat, aus einer Entfernung, die mich außer Stand setzte, sie zu verhindern, zugesehen; aber ich gestehe Ihnen: mit gleich lebhaftem Unmuth sehe ich, mit was für unrühmlichen Waffen Sie von einigen Ungenannten[16] (die für ihren eigenen Ruhm nicht besser sorgen können, als wenn sie unbekannt bleiben) sind gerochen worden. Die Sachen sind zu meinem empfindlichsten Bedauren so weit gekommen, daß mir nicht mehr erlaubt ist, stille zu schweigen, ohne auf der einen oder andern Seite ehrwürdige Pflichten zu verletzen.

Für dießmal, und da mir der enge Raum dieses Schreibens

keine ausführliche Erklärung gestattet, begnüge ich mich, mit einem Wunsche zu schließen, von dem ich gewiß bin, daß er auch der Ihrige ist. Möchten doch die Männer, die ihr Leben, oder wenigstens, (wenn ihnen nicht mehr erlaubet ist,) die angenehmsten Stunden ihres Lebens den Musen und der Philosophie gewidmet haben, möchten sie die ganze Würde ihrer Bestimmung, und die Größe der Vortheile, die in ihrer Gewalt sind, empfinden! Wie glücklich, wie groß, wie unabhängig würden sie seyn, wie wenig der Gunst der Könige nöthig haben, und wie ehrwürdig selbst in den Augen der Großen der Welt könnten sie sich machen, wenn ihr Herz eben so gut, als ihr Kopf wäre: wenn der Einfluß der Musen und Grazien, auch ihr sittliches Gefühl, wenn ihr Geschmack auch ihre Gesinnungen verfeinert und verschönert hätte; wenn sie durch einen edlen Stolz sich zu groß dünkten, zu den niederträchtigen Leidenschaften des Pöbels und ihren verächtlichen Ausbrüchen herabzusinken, und indem sie einander selbst auf alle mögliche Art verkleinern, bey dem großen Haufen der Unwissenden und Narren, der den Erdboden bedeckt, die Wissenschaften und die liebenswürdigen wohlthätigen Künste der Musen verächtlich zu machen. Wieviel würden sie, wieviel würde die Gesellschaft und in der Folge die menschliche Natur selbst, die von dem höchsten Grade der Verschönerung, deren sie fähig ist, noch so weit entfernt scheint, durch die Erfüllung dieses Wunsches gewinnen, wenn alle Leute von Genie und Talenten, alle Gelehrte, alle Schriftsteller, wenigstens alle guten, ohne Eifersucht und niedrige Privatabsichten in einem tugendhaften und freundschaftlichen Wetteifer auf ihrer gemeinschaftlichen Laufbahn neben einander fortliefen, einander allezeit Gerechtigkeit wiederfahren ließen, jedes neu aufkeimende Talent mit Vergnügen willkommen hießen, und anstatt es zu schrecken und niederzuschlagen, es auf alle mögliche Weise aufzumuntern bedacht wären — Kurz! Wenn sie einander so liebten und ehrten, wie alle Leute, welche selbst Verdienste haben, und daher auch Verdienste sollen schätzen können, zu thun schuldig sind, und wie gewiß alle wahrhaftig schönen Seelen durch eine

Art von innerlicher Nothwendigkeit zu thun angetrieben werden.

Lassen Sie uns, liebster Freund, fortfahren, die Ungläubigen durch unser Beyspiel zu überzeugen, daß dieser Wunsch keine platonische Grille sey.

Ich bin mit aufrichtigstem Herzen

Ihr
ergebenster Freund und Verehrer
Wieland

Warthausen[17], den 15. März 1769.

ERSTES BUCH.

In einem Hain, der einer Wildniß glich
Und nah' am Meer ein kleines Gut begrenzte,
Ging Phanias[1] mit seinem Gram und sich
Allein umher; der Abendwind durchstrich
Sein fliegend Haar, das keine Ros' umkränzte; 5
Verdrossenheit und Trübsinn mahlte sich
In Blick und Gang und Stellung sichtbarlich;
Und was ihm noch zum Timon* fehlt', ergänzte
Ein Mantel, so entfasert, abgefärbt
Und ausgenützt, daß es Verdacht erweckte, 10
Er hätte den, der einst den Krates deckte,
Vom Aldermann der Cyniker geerbt**.

Gedankenvoll, mit halb geschloßnen Blicken,
Den Kopf gesenkt, die Hände auf den Rücken,
Ging er daher. Verwandelt wie er war, 15
Mit langem Bart und ungeschmücktem Haar,

* *Timon:* Eine Anspielung auf den armseligen Aufzug, worin Lucian in einem seiner dramatischen Dialogen den berüchtigten Timon, den Menschenhasser, aufführt. — „Wer ist denn (fragt der auf die Erde herab schauende Jupiter den Merkur) da unten am Fuße des Hymettus der lumpige schmutzige Kerl in dem Ziegenpelze, der ihm kaum bis über die Hüften reicht?" u.s.w. S. Lucians sämmtl. Werke, I. Theil, S. 60 der neuen Deutschen Übersetzung[2].

** *Als hätt' er den . . . geerbt:* In der Ausgabe von 1769 lautete der letzte Vers so: (Ihr wißt ja wo?) vom Diogen geerbt. Nun wußten aber die meisten Leser nicht w o ? Man hat also für besser gehalten, den Vers abzuändern, und dem Leser, dem die Anekdote, auf welche hier angespielt wird, unbekannt oder entfallen seyn könnte, durch eine kleine Anmerkung zu dienen. Der Sinn dieser Stelle ist also: Der Mantel des aus seinem ehemaligen Wohlstande, gleich dem Timon, herunter gekommenen Phanias, der seine ganze Kleidung ausmachte, habe so abgenützt ausgesehen, als ob es eben derselbe wäre, welchen Diogenes über seinen Freund und Schüler Krates ausgebreitet haben soll, als dieser (aus einem kleinen Übermaß von Eifer, die Cynische Lehre, „daß nichts natürliches schänd-

Mit finstrer Stirn, in Cynischem Gewand[3]
Wer hätt' in ihm den Phanias erkannt,
Der kürzlich noch von Grazien und Scherzen
Umflattert war, den Sieger aller Herzen, 20
Der an Geschmack und Aufwand keinem wich,
Und zu Athen, wo auch Sokraten zechten*,

lich sey," durch eine auffallende That zu bekräftigen) sich die Freiheit nahm, sein Beylager mit der schönen Hipparchia in der großen Halle (Stoa) zu Athen öffentlich zu vollziehen. — Daß dem Diogenes die Benennung eines Aldermanns der Cyniker zukomme, bedarf wohl keines Beweises, und man hat sie in dieser Ausgabe der in einigen vorgehenden, wo es, dem Aldermann der Stoiker, d. i. dem Zeno, hieß, vorgezogen, weil von einem Mantel, der vom Diogenes bis auf den Zeno, und sodann weiter von einem philosophischen Bettler zum andern endlich bis auf den Phanias fortgeerbt worden wäre, wahrscheinlich gar nichts mehr als Fetzen übrig geblieben seyn müßten.

* *wo auch Sokraten zechten:* Daß Sokrates bey Gelegenheit ein strenger Zecher gewesen sey, erhellet aus verschiedenen Stellen des Platonischen Symposion. So rühmt es ihm z. B. Agathon, der Wirth in diesem berühmten Gastmahl, als keinen geringen Vorzug vor den übrigen Anwesenden nach, daß er den Wein besser ertragen könne als die stärksten Trinker unter ihnen, und der junge Alcibiades, da er, um die Gesellschaft zum Trinken einzuladen, dem Sokrates einen großen Becher voll Wein zubringt, setzt hinzu: „Gegen den Sokrates, meine Herren, wird mir dieser Pfiff nichts helfen; denn der trinkt so viel als man will, und ist doch in seinem Leben nie betrunken gewesen". — Auch leert Sokrates den voll geschenkten Becher nicht nur rein aus, sondern, nachdem, auf eine ziemlich lange Pause, das Trinken wegen einiger noch von ungefähr hinzu gekommenen Bacchusbrüder von neuem angegangen war, und, unter mehrern andern, die es nicht länger aushalten konnten, auch Aristodemus sich in irgend einen Winkel zurück gezogen hatte und eingeschlafen war, fand dieser, als er um Tagesanbruch wieder erwachte und ins Tafelzimmer zurück kam, daß alle andern weggegangen, und nur Agathon, Aristophanes und Sokrates allein noch auf waren, und aus einem großen Becher tranken. Sokrates dialogierte noch immer mit ihnen fort, und fühlte sich durch allen Wein, den er die ganze Nacht durch zu sich genommen hatte, so wenig verändert, daß er, als es Tag geworden war, mit besagtem Aristodemus ins Lyceon baden ging, und, nachdem er den ganzen Tag nach seiner gewöhnlichen Weise zugebracht, erst gegen Abend sich nach Hause zur Ruhe begab. — Ein Zug seines Temperaments, welcher (däucht uns) bey Schätzung seines sittlichen Karakters, nicht aus der Acht zu lassen ist. Denn mit einem solchen Temperamente kann es, bey einem einmahl fest gefaßten Vorsatz, eben nicht sehr schwer seyn, immer Herr von seinen Leidenschaften zu bleiben.

Beym muntern Fest, in durchgescherzten Nächten,
Dem Komus[4] bald, und bald dem Amor glich?

Ermüdet wirft er sich auf einen Rasen nieder, 25
Sieht ungerührt die reitzende Natur
So schön in ihrer Einfalt! hört die Lieder
Der Nachtigall, doch mit den Ohren nur.
Ihr zärtlicher Gesang sagt seinem Herzen nichts;
Denn ihn beraubt des Grams umschattendes Gefieder 30
Des innern Ohrs, des geistigen Gesichts.
Empfindungslos, wie einer der Medusen[5]
Erblickt und starrt, erwägt er zweifelsvoll
Nicht, wie vordem, wofür er seufzen soll,
Für welchen Mund, für welchen schönen Busen? 35
Nein, Phanias spricht jetzt der Thorheit Hohn,
Und ruft, seitdem aus seinem hohlen Beutel
Die letzte Drachme flog, wie König Salomon:
Was unterm Monde liegt, ist eitel!

Ja wohl, vergänglich ist und flüchtiger als Wind 40
Der Schönen Gunst, die Brudertreu der Zecher;
So bald nicht mehr der goldne Regen rinnt,
Ist keine Danae[6], sobald im trocknen Becher
Der Wein versiegt, ist kein Patroklus[7] mehr.
Was Fliegen lockt, das lockt auch Freunde her; 45
Gold zieht magnetischer, als Schönheit, Witz und Jugend:
Ist eure Hand, ist eure Tafel leer,
So flieht der Näscher Schwarm, und Lais[8] spricht von
Tugend.

Der großen Wahrheit voll, daß alles eitel sey
Womit der Mensch in seinen Frühlingsjahren, 50
Berauscht von süßer Raserey,
Leichtsinnig, lüstern rasch und unerfahren,
In seinem Paradies von Rosen und Schasmin
Ein kleiner Gott sich dünkt, setzt Phanias, der Weise,
Wie Herkules, sich auf den Scheidweg[9] hin, 55

(Nur schon zu spät) und sinnt der schweren Reise
Des Lebens nach. Was soll, was kann er thun?
Es ist so süß, auf Flaum und Rosenblättern
Im Arm der Wollust sich vergöttern,
Und nur vom Übermaß der Freuden auszuruhn! 60
Es ist so unbequem, den Dornenpfad zu klettern!
Was thätet ihr? – Hier ist, wie vielen däucht,
Das Wählen schwer! dem Phanias war's leicht.
Er sieht die schöne Ungetreue,
Die Wollust – schön, er fühlt's! – doch nicht mehr schön
für ihn – 65
Zu jüngern Günstlingen aus seinen Armen fliehn;
Die Scherze mit den Amorinen[10] fliehn
Der Göttin nach, verlassen lachend ihn,
Und schicken ihm zum Zeitvertreib die Reue:
Hingegen winken ihm aus ihrem Heiligthum 70
Die Tugend, und ihr Sohn, der Ruhm,
Und zeigen ihm den edlen Weg der Ehren.
Der neue Herkules schickt seufzend einen Blick
Den schon Entfloh'nen nach, ob sie nicht wiederkehren:
Sie kehren, leider! nicht zurück, 75
Und nun entschließt er sich der Helden Zahl zu mehren!

Der Helden Zahl? – Hier steht er wieder an;
Der kühne Vorsatz bleibt in neuen Zweifeln schweben.
Zwar ist es schön, auf lorbervoller Bahn
Zum Rang der Göttlichen die in der Nachwelt leben, 80
Zu einem Platz im Sternenplan
Und im Plutarch[11], sich zu erheben;
Schön, sich der trägen Ruh entziehn,
Gefahren suchen; keine fliehn,
Auf edle Abenteuer ziehn, 85
Und die gerochne Welt mit Riesenblute färben;
Schön, süß sogar – zum mindsten singet so
Ein Dichter, der zwar selbst beym ersten Anlaß floh*, –

* *Ein Dichter . . . floh:* Horaz, der, ungeachtet seines „Süß ist's und edel sterben fürs Vaterland" in einem andern Gesang[12] offenherzig genug

Süß ist's, und ehrenvoll fürs Vaterland zu sterben[14],
Doch auch die Weisheit kann Unsterblichkeit erwerben! 90
Wie prächtig klingt's, den fesselfreyen Geist
Im reinsten Quell des Lichts von seinen Flecken waschen,
Die Wahrheit, die sich sonst nie ohne Schleier weist,
(Nie, oder Göttern nur) entkleidet überraschen;
Der Schöpfung Grundriß übersehn, 95
Der Sphären mystischen verworrnen Tanz[15] verstehn,
Vermuthungen auf stolze Schlüsse häufen,
Und bis ins Reich der reinen Geister streifen:
Wie glorreich! welche Lust! – Nennt immer Den beglückt
Und frey und groß, den Mann der nie gezittert, 100
Den der Trompete Ruf zur wilden Schlacht entzückt,
Der lächelnd sieht was Menschen sonst erschüttert
Und selbst den Tod, der ihn mit Lorbern schmückt,
Wie eine Braut an seinen Busen drückt:
Viel größer, glücklicher ist Der mit Recht zu nennen, 105
Den, von Minervens Schild[16] bedeckt,
Kein nächtliches Phantom, kein Aberglaube schreckt;
Den Flammen, die auf Leinwand brennen,
Und Styx und Acheron[17] nicht blässer machen können;
Der ohne Furcht Kometen brennen sieht, 110
Die hohen Götter nicht mit Taschenspiel bemüht,
Und, weil kein Wahn die Augen ihm verbindet,
Stets die Natur sich gleich, stets regelmäßig findet.

War Philipps Sohn ein Held, der sich der Lust entzog
In welcher unberühmt die Ninias zerrannen*, 115
Und auf zertrümmerten Tyrannen

ist zu gestehen, daß er in der Schlacht bei Philippi sogar seinen kleinen runden Schild von sich geworfen habe, um dem schönen Tod fürs Vaterland desto hurtiger entlaufen zu können. – Wiewohl nicht zu verschweigen ist, daß unser Autor selbst an einem andern Orte nicht ganz unerhebliche Gründe, den Dichter gegen sich selbst zu rechtfertigen, vorgebracht zu haben scheint. S. die erste Erläuterung zur zweyten Epistel des Horaz an Julius Florus[13].

* *Philipps Sohn:* Alexander der Große. *Ninias:* Sohn des Ninus und der Semiramis, ein Assyrischer König, von welchem die Geschichte nichts

Von Sieg zu Sieg bis an den Indus flog?
Sein wälzender Triumph zermalmte tausend Städte,
Zertrat die halbe Welt – warum? laßt's ihn gestehn!
„Damit der Pöbel von Athen 120
Beym nassen Schmaus von ihm zu reden hätte*."
Um wie viel mehr, als solch ein Weltbezwinger,
Ist Der ein Held, ein Halbgott, kaum geringer
Als Jupiter, der tugendhaft zu seyn
Sich kühn entschließt; dem Lust kein Gut, und Pein 125
Kein Übel ist; zu groß, sich zu beklagen,
Zu weise, sich zu freu'n; der jede Leidenschaft
Als Sieger an der Tugend Wagen
Gefesselt hat und im Triumphe führt;
Den alles Gold der Inder nicht verführt; 130
Den nur sein eigener, kein fremder Beyfall rührt;
Kurz, der in Phalaris durchglühtem Stier verdärbe[18]
Eh' er in Phrynens[19] Arm – ein Diadem erwärbe.

In solche schimmernde Betrachtungen vertieft
Lag Phanias, schon mehr als halb entschlossen; 135
Als Amor unverhofft die neue Denkart prüft,
Die Gram, Philosophie und Noth ihm eingegossen.
Er sah, und hätte gern den Augen nicht getraut,
Die ein Gesicht, wovor ihm billig graut,
Zu sehn sich nicht erwehren können. 140
Die Götter werden ihm den Ruhm doch nicht mißgönnen,
Ein Xenokrat[20] zu seyn? Was hilft Entschlossenheit?
Im Augenblick der uns Minerven[16] weiht
Kommt Cytherea[21] selbst zur ungelegnen Zeit.

zu sagen hat, als daß er die acht und zwanzig Jahre seiner Regierung (wie man bey seines gleichen das divino far niente nennt) in der üppigsten Unthätigkeit in seinem Harem zwischen Weibern und Höflingen verträumt habe.

* *der Pöbel von Athen . . . zu reden hätte:* „O ihr Athener, (soll Alexander, als er in einem äußerst mühseligen und gefährlichen Abenteuer am Flusse Hydaspes in Indien begriffen war, ausgerufen haben) werdet ihr jemahls glauben können, was für Gefahren ich laufe, um mir euere gute Meinung zu erwerben?"

Zwar diese war es nicht: doch hätte 145
Die Schöne, welche kam, vielleicht sich vor der Wette,
Die Pallas einst verlor[22], gleich wenig sich gescheut.
Schön, wenn der Schleier bloß ihr schwarzes Aug' entdeckte,
Noch schöner, wenn er nichts versteckte;
Gefallend, wenn sie schwieg, bezaubernd, wenn sie
sprach: 150
Dann hätt' ihr Witz auch Wangen ohne Rosen
Beliebt gemacht; ein Witz, dem's nie an Reitz gebrach,
Zu stechen oder liebzukosen
Gleich aufgelegt, doch lächelnd wenn er stach
Und ohne Gift. Nie sahe man die Musen 155
Und Grazien in einem schönern Bund,
Nie scherzte die Vernunft aus einem schönern Mund;
Und Amor nie um einen schönern Busen.

So war, die ihm erschien, so war Musarion.
Sagt, Freunde, wenn mit einer solchen Miene 160
Im wildsten Hain ein Mädchen euch erschiene,
Die Hand aufs Herz! sagt, liefet ihr davon?
„So lief denn Phanias?“ – Das konntet ihr errathen!
Er that was Wenige in seinem Falle thaten,
Allein, was jeder soll, der sicher gehen will. 165
Er sprang vom Boden auf, und – hielt ein wenig still,
Um recht gewiß zu sehn was ihm sein Auge sagte;
Und da er sah, es sey Musarion,
So lief er euch – der weise Mann! – davon
Als ob ein Arimasp ihn jagte*. 170

* *ein Arimasp ihn jagte:* Die Arimaspen sind (wie uns Plinius unter der Gewährleistung der berühmten Geschichtschreiber Herodot und Aristeas meldet) ein Skythisches Volk, das im äußersten Norden, unweit der Höhle des Nordwindes wohnt, nur Ein Auge mitten auf der Stirne hat, und in ewigem Kriege mit den Greifen lebt, um ihnen das Gold zu rauben, welches diese ungeheuren Vögel mit unersättlicher Begierde aus den Adern der Erde hervor scharren, bloß um das Vergnügen zu haben, ihre Goldhaufen Tag und Nacht zu bewachen und gegen die Arimaspen zu vertheidigen. Das, was an diesem Mährchen historisch wahr ist, gehört nicht hierher.

„Du fliehest, Phanias?“ ruft sie ihm lachend nach:
„Erkennest mich und fliehst? Gut, fliehe nur, du Spröder!
Dein Kaltsinn macht Musarion nicht blöder;
Du schmeichelst dir doch wohl, sie sey so schwach
Dir nachzufliehn?“ – Durch ungebahnte Pfade 175
Wand er wie eine Schlange sich:
So schlüpft die keusche Oreade[23]
Dem Satyr aus der Hand, der sie im Bad erschlich.
Die Schöne folgt mit leichten Zephyrfüßen,
Doch ohne Hast; denn (dachte sie) am Strand 180
Wohin er flieht, wird er wohl halten müssen.
Es war ihr Glück, daß sich kein Nachen fand;
Denn, der Versuchung zu entgehen,
Was thät' ein Weiser nicht? Doch da er keinen fand,
Wohin entfliehn? – Es ist um ihn geschehen 185
Wenn ihn sein Kopf verläßt! – Seyd unbesorgt! er blieb
Am Ufer ganz gelassen stehen,
Sah vor sich hin, schwang seinen Stab, beschrieb
Figuren in den Sand, als ob er überdächte
Wie viele Körner wohl der Erdball fassen möchte; 190
Kurz, that als säh' er nichts, und wandte sich nicht um.

„Vortrefflich!“ rief sie aus, „das nenn' ich Heldenthum
Und etwas mehr! Die alte Ordnung wollte,
Daß Daphne jüngferlich mit kurzen Schritten fliehn,
Apollo keuchend folgen sollte[24]; 195
Du kehrst es um. – Fliehst du, mich nachzuziehn?
Den kleinen Stolz will ich dir gerne gönnen!“

„Du irrest dich“, antwortet unser Held
Mit Mienen, welche nicht, wie sehr sie ihm misfällt,
Verbergen wollen oder können: 200
„Ein rascher meilenbreiter Spalt,
Der plötzlich zwischen uns den Boden gähnen machte,
Ist alles, glaube mir, wornach ich sehnlich schmachte,
Seitdem ich dich erblickt.“ – „Der Gruß ist etwas kalt“,
Erwiedert sie: „du denkest, wie ich sehe, 205

Die Reihe sey nunmehr an dir,
Und weichst zurück so wie ich vorwärts gehe.
Doch spiele nicht den Grausamen mit mir!
Was willst du mehr, als daß ich dir gestehe
Du zürnst mit Recht? Ja, ich mißkannte dich: 210
Doch, war ich damahls mein? Jetzt bin ich, was du mich,
Zu seyn, so oft zu meinen Füßen batest."

„Wie, (unterbrach er sie) du, die mit kaltem Blut
Mein zärtlich Herz mit Füßen tratest,
Mich lächelnd leiden sahst – du hast den Übermuth 215
Und suchst mich auf, mich noch durch Spott zu quälen?
Zwey Jahre liebt' ich dich, Undankbare, so schön,
Wie keine Sterbliche sich je geliebt gesehn.
Dein Blick, dein Athem schien allein mich zu beseelen,
Thor, der ich war! von einem Blick entzückt 220
Der sich an mir für Nebenbuhler übte;
Durch falsche Hoffnungen berückt,
Womit mein krankes Herz getäuscht zu werden liebte!
Du botst verführerisch das süße Gift mir dar,
Und machtest dann mit einem andern wahr 225
Was dein Sirenenmund mir zugelächelt hatte.
Und, o! mit wem? – Dieß brachte mich zur Wuth!
(Nur der Gedank' empört noch itzt mein Blut)
Ein Knabe war's, – erröthe nicht, gestatte
Daß ich ihn mahlen darf, – gelblockig, zephyrlich, 230
Ein bunter Schmetterling, so glatt wie eine Schlange,
Mit Gänseflaum ums Kinn, mit rothgeschminkter Wange,
Ein Ding, das einer Puppe glich,
Wie kleine Töchterchen mit sich zu Bette nehmen:
Dem gabst du, ohne dich zu schämen, 235
Den Busen preis, um den der Hirt von Ilion[25]
Helenen untreu worden wäre;
Dieß Äffchen machte den Adon[26]
Der Nebenbuhlerin der Göttin von Cythere[21].
Und Phanias, indeß so ein Insekt 240
Auf deinen Rosen kriecht, liegt Nächte durch gestreckt,

Mit Thränen, die den May von seinen Wangen ätzen,
Die Schwelle deiner Thür, Undankbare, zu netzen!
Nein! Der versöhnt sich nie, der so beleidigt ward!
Hinweg! die Luft, in der du Athem ziehest, 245
Ist Pest für mich – Verlaß mich! du bemühest
Dich fruchtlos! unsre Denkungsart
Stimmt minder überein als ehmahls unsre Herzen."

„Mich däucht (erwiedert sie) du rächest dich zu hart
Für selbst gemachte Liebesschmerzen. 250
Sey wahr, und sprich, ist's stets in unserer Gewalt
Zu lieben wie und wen wir sollen?
Oft fragt der Liebesgott uns nur nicht ob wir wollen?
Wir finden ohne Grund uns zärtlich oder kalt.
Itzt dem Apollo spröd, itzt schwach für einen Faunen. 255
Was weiß ich's selbst? wer zählet Amors Launen?
Ihr, die ihr über uns so bitter euch beschwert,
Laßt euer eignes Herz für unsers Antwort geben!
Ihr bleibt oft an der Stange kleben,
Und was euch angelockt war kaum der Mühe werth. 260
Ein Halstuch öffnet sich, ein Ärmel fällt zurücke,
Und weg ist euer Herz! Oft braucht es nicht so viel;
Ein Lächeln fängt euch schon, ihr fallt von einem Blicke.
Ein flüchtiger Geschmack, ein Nichts, ein eitles Spiel
Der Phantasie, regiert uns oft im Wählen; 265
Das Schöne selbst verliert auf kurze Zeit
Den Reitz für uns; wir wissen daß wir fehlen,
Und finden Grazien bis in der Häßlichkeit.
Hat die Erfahrung, wie ich glaube,
Von dieser Wahrheit dich belehrt; 270
So ist mein Irrthum auch vielleicht verzeihenswerth.
Wer suchet unter einer Haube
So viel Vernunft als Zenons[27] Bart verheißt?
Und wie? mein Freund, wenn ich sogar zu sagen
Mich untersteh', daß wirklich mein Betragen 275
Für meine Klugheit mehr als wider sie beweist?
Ich schätzt' an dir, wofür dich jeder preist,

Ein edles Herz und einen schönen Geist:
Was ich für dich empfand war auf Verdienst gegründet;
Du warst mein Freund, und fordertest nicht mehr; 280
Vergnügt mit einem Band das nur die Seelen bindet,
Sahst du mich Tage lang, und fandest gar nicht schwer
Mich, wenn der Abendstern dir winkte, zu verlassen,
Um an Glycerens[28] Thür die halbe Nacht zu passen[29].
So ging es gut, bis dich ein Ungefähr 285
An einem Sommertag in eine Laube führte,
Worin die Freundin schlief, die wachend dich bisher
So ruhig ließ. Ich weiß nicht was dich rührte;
Der Schlaf nach einem Bad, wenn man allein sich meint,
Muß was verschönerndes in euern Augen haben: 290
Genug, du fandst an ihr sonst unerkannte Gaben
Und sie verlor den angenehmen Freund.
Nichts ahnend wacht' ich auf; da lag zu meinen Füßen
Ein Mittelding von Faun und Liebesgott!
In dithyrambische Begeist'rung hingerissen 295
Was sagtest du mir nicht! was hätt'st du wagen müssen,
Hätt' ich, der Schwärmerey die Lippen zu verschließen,
Das Mittel nicht gekannt! Ein Strom von kaltem Spott
Nahm deinem Brand die Luft. Mit triefendem Gefieder
Flog Amor zürnend fort: doch freut' ich mich zu früh; 300
Denn eh' ich mir's versah', so kam er seufzend wieder.
Mit Seufzen, ich gesteh's, erobert man mich nie;
Der feierliche Schwung erhitzter Phantasie
Schlägt mir die Lebensgeister nieder.
Ich machte den Versuch, durch Fröhlichkeit und Scherz 305
Den Dämon, der dich plagte, zu verjagen:
Doch diese Geisterart kann keinen Scherz ertragen.
Ich änderte die Kur. Allein mein eignes Herz
Kam in Gefahr dabey; es wurde mir verdächtig;
Denn Schwärmerey steckt wie der Schnuppen an: 310
Man fühlt ich weiß nicht was, und eh' man wehren kann
Ist unser Kopf des Herzens nicht mehr mächtig.
Auf meine Sicherheit bedacht
Fand ich zuletzt ich müsse mich zerstreuen.

Mir schien ein Geck dazu ganz eigentlich gemacht. 315
Für Schönen, die den Zwang der ernsten Liebe scheuen,
Taugt eine Puppe nur, die trillert, hüpft und lacht;
Ein bunter Thor, der tändelnd uns umflattert,
Die Zähne weißt, nie denkt, und ewig schnattert; 320
Der, schwülstiger je weniger er fühlt,
Von Flammen schwatzt die unser Fächer kühlt,
Und, unterdeß er sich im Spiegel selbst belächelt,
Studierte Seufzerchen mit schaler Anmuth fächelt."

„Das alles, was du sagst, (fiel unser Timon[30] ein)
Soll, wie es scheint, ein kleines Beyspiel seyn, 325
Kein Handel sey so schlimm, den nicht der Witz[31] vertheidigt.
Nur Schade, daß die Ausflucht mehr beleidigt
Als was dadurch verbessert werden soll.
Doch, laß es seyn! mein Thorheitsmaß ist voll,
Wir wollen uns mit Zanken nicht ermüden. 330
Ich liebte dich; vergieb! ich war ein wenig toll:
Dir selbst gefiel ein Geck, und ich – ich bin zufrieden;
Erfreut sogar. Denn ständ' es itzt bey mir,
Durch einen Wunsch an seinen Platz zu fliegen,
Bathyl[32] zu seyn – um dir im Arm zu liegen; 335
Bey deiner Augen Macht! – ich bliebe hier.
Du hörst, ich schmeichle nicht. Genießt Ihr das Vergnügen
Durch falsche Zärtlichkeit einander zu betrügen:
Mich fängt kein Lächeln mehr! – Ich seh' ein Blumenfeld
Mit mehr Empfindung an als eure schöne Welt: 340
Und wenn zum zweyten Mahl ein Weib von mir erhält,
Durch einen strengen Blick, durch ein gefällig Lachen
Mich bald zum Gott und bald zum Wurm zu machen,
Wenn ich, so klein zu seyn, noch einmal fähig bin:
Dann, holde Venus, dann verwirre meinen Sinn, 345
Verdamme mich zur lächerlichsten Flamme,
Und mache mich – verliebt in meine Amme."

„Wie lange denkst du so?" versetzt Musarion;
„Der Abstich ist zu stark, den dieser neue Ton

Mit deinem ersten macht! Doch, lieber Freund, erlaube, 350
Ich fordre mehr Beweis, eh' ich ein Wunder glaube.
Du, welcher ohne Lieb' und Scherz
Vor kurzem noch kein glücklich Leben kannte;
Du, dessen leicht gerührtes Herz
Von jedem schönen Blick entbrannte, 355
Und der, (erröthe nicht, der Irrthum war nicht groß)
Wenn ihm Musarion die spröde Thür verschloß,
Zu Lind'rung seiner Qual – nach Tänzerinnen sandte;
Du, sprichst von kaltem Blut? du bietest Amorn Trutz?
Vermuthlich hast du dich, noch glücklicher zu leben, 360
In einer andern Gottheit Schutz
Und in die Brüderschaft der Fröhlichen begeben,
Die sich von Leidenschaft und Phantasie befrey'n,
Um desto ruhiger der Freude sich zu weih'n?
Du fliehst den Zwang von ernsten Liebeshändeln, 365
Und findest sicherer, mit Amorn nur zu tändeln;
Vermählst die Mäßigung der Lust,
Geschmack mit Unbestand, den Kuß mit Nektarzügen,
Studierst die Kunst dich immer zu vergnügen[33],
Genießest wenn du kannst, und leidest wenn du mußt? 370
Ich finde wenigstens in einem solchen Leben
Unendlichmahl mehr Wahrheit und Vernunft,
Als von der freudescheuen Zunft
Geschwollner Stoiker ein Mitglied abzugeben.
Und denkst du so, dann lächle sorgenlos 375
Zum Tadel von Athen, das deiner Änd'rung spottet.
Nicht, wo die schöne Welt, aus langer Weile bloß,
Zu Freuden sich zusammen rottet
An denen nur der Nahme fröhlich tönt,
Die, stets gehofft, doch niemahls kommen wollen, 380
Wobey man künstlich lacht und ungezwungen gähnt,
Und mitten im Genuß sich schon nach andern sehnt
Die da und dort uns gähnen machen sollen:
Nicht im Getümmel, nein, im Schooße der Natur,
Am stillen Bach, in unbelauschten Schatten, 385
Besuchet uns die holde Freude nur,

Und überrascht uns oft auf einer Spur,
Wo wir sie nicht vermuthet hatten.
Doch, Phanias, ist's diese Denkungsart,
Die dich der Stadt entzog, wozu die Außenseite 390
Von einem Diogen[34]? wozu ein wilder Bart?
Mich däucht, ein weiser Mann trägt sich wie andre Leute?"

„Mein Ansehn, schöne Spötterin,
Ist wie es sich zu meinem Glücke schicket.
Wie? ist dir unbekannt in welcher Lag' ich bin? 395
Daß jenes Dach, von faulem Moos gedrücket,
Und so viel Land als jener Zaun umschließt,
Der ganze Rest von meinem Erbgut ist?
Was jeder weiß, kann dir allein unmöglich
Verborgen seyn: dein Scherz ist unerträglich, 400
Musarion, wie deine Gegenwart.
Mit wem sprichst du von einer Denkungsart,
Die von den Günstlingen des lachenden Geschickes
Das Vorrecht ist?" – „Freund, du vergissest dich:
Ein Sklave trägt die Farbe seines Glückes, 405
Kein edles Herz. Im Schauspiel stimmen sich
Die Flöten nach dem Ton des Stückes:
Allein ein weiser Mann denkt niemals weinerlich.
Wie, Phanias? Die Farbe deiner Seelen[35]
Ist nur der Wiederschein der Dinge um dich her? 410
Und dir die Fröhlichkeit, des Lebens Reitz, zu stehlen,
Bedarf es nur ein widrig Ungefähr?
Ich weiß, mein Freund, wohin uns mißverstandne Güte,
Ein Herz, das Freude liebt, die Klugheit leicht vergißt,
Und niemand, als sich selbst, zu schaden fähig ist, 415
Ich weiß wohin sie bringen können.
Doch, alles recht geschätzt, gewinnst du mehr dabey
Als du verlierst. Was Thoren uns mißgönnen
Beweist nicht stets wie sehr man glücklich sey.
Das wahre Glück, das Eigenthum der Weisen, 420
Steht fest, indeß Fortunens Kugel rollt.
Dem Reichen muß die Pracht, die ihm der Indus zollt[36],

Erst, daß er glücklich sey, beweisen:
Der Weise fühlt er ist's. Ihm schmecken schlechte Speisen[37]
Aus Thon so gut als aus getriebnem Gold. 425
Wenn um ihn her die muntern Lämmer springen,
Indem er sorgenfrey in eignem Schatten sitzt,
Und Zephyrn[38], untermischt mit bunten Schmetterlingen,
Gemähter Wiesen Duft ihm frisch entgegen bringen,
Die Vögel um ihn her aus tausend Zweigen singen, 430
Und alles, was er sieht, zugleich ergetzt und nützt:
Wie leicht vergißt er da, er, der so viel besitzt,
Daß sich sein Landhaus nicht auf Marmorsäulen stützt,
Nicht Sklaven ohne Zahl in seinem Vorhof lärmen,
Und Fliegen nur, wenn er zu Tische sitzt, 435
Die Parasiten sind, die seinen Kohl umschwärmen!
Kein Schmeichler-Heer belagert seine Thür,
Kein Hof umschimmert ihn! – Er freue sich! dafür
Besitzt er was das jedem Midas[39] fehlet,
Was der Monarch mit Gold zu kaufen fälschlich meint, 440
Was, wer es kennt, vor einer Krone wählet,
Das höchste Gut des Lebens, einen Freund."

„Du schwärmst, Musarion! – Er, dem das Glück den
Rücken
Gewiesen, einen Freund?" – „Ein Beyspiel siehst du hier",
Erwiedert sie: „mich, die von freyen Stücken 445
Athen verließ, dich sucht', und da du mir
Entflohest, dir (der mütterlichen Lehren
Uneingedenk) so eifrig nachgejagt,
Wie andre meiner Art vor dir geflohen wären.
Ich dächte, das beweist, wenn einem Mann zu Ehren 450
Ein Mädchen – sich – und seinen Kopfputz wagt!"

„Ich weiß die Zeit – ich trug noch deine Kette –
(Hier seufzte Phanias) da, mich entzückt zu sehn,
Dich weniger gekostet hätte.
Du durftest, statt mir nachzugehn, 455
Dich damals nur nach Art der Nymphen sträuben,

Die gern an einem Busch im Fliehen hangen bleiben,
Mit leiser Stimme dräun und lächelnd widerstehn:
Allein, wer kann dafür, daß ungeneigte Winde
Von unsern Wünschen stets den besten Theil verwehn? 460
Dies ist vorbey! Jetzt, wenn es bey mir stünde,
Wünscht' ich mir nichts als ein gelaßnes Blut.
Man nennt mich zu Athen unglücklich – doch, ich finde,
Zu etwas, wie man sagt, ist stets das Unglück gut;
Durch ein bezaubertes Gewinde 465
Von süßem Irrthum hat zuletzt
Die Thorheit selbst mich auf den Weg gesetzt,
Zu werden was ich schien als man mich glücklich nannte.
Gesegnet seyst du mir, Geburtstag meines Glücks!
Tag, der mich aus Athen in diese Wildniß sandte! 470
Nicht Phanias, der Günstling des Geschicks,
Nein, Phanias, der Nackte, der Verbannte,
Ist neidenswerth! Da war er wirklich arm,
Unglücklicher als Irus[40], glich dem Kranken
Der sich zu Tode tanzt, als Schmeichler, Schwarm an
Schwarm, 475
Sein Herzensblut aus goldnen Bechern tranken:
Beym nächtlichen Gelag, an feiler Phrynen[19] Brust,
Da war er elend, da! ein Sklave, fest gebunden
Von jeder Leidenschaft! ein Opferthier der Lust!
Wie? Der, der siebenfach von einer Schlang' umwunden 480
Auf Blumen schläft und träumt er sitz' auf einem Thron,
Der sollte glücklich seyn? – Und wenn Endymion,
(Dem Luna, daß sie ihn bequemer küssen möge,
So schöne Träume gab[41]) durch eine Million
Von Sonnenaltern stets in süßen Träumen läge, 485
Und träumt' er schmaus' am Göttertisch
Mit Jupitern und buhle mit Göttinnen,
Ein süß betäubendes Gemisch
Von allem was ergetzt berausche seine Sinnen,
Mit Einem Wort, er schwimme wie ein Fisch 490
In einem Ocean von Wonne –
Sprich, wer geständ' uns, unerröthend, ein,

Er wünsche sich Endymion zu seyn?
Diogenes, der Hund[42], in seiner Tonne
War glücklicher! — In unsrer eignen Brust, 495
Da, oder nirgends fließt die Quelle wahrer Lust,
Der Freuden, welche nie versiegen,
Des Zustands dauernder Vergnügen,
Den nichts von außen stört! Wie elend hätte mich
Ein Wechsel, der mir alles raubte 500
Wodurch ich mich vor diesem glücklich glaubte,
Fortunens ganzen Kram, — wie elend hätt' er mich
Gemacht, wenn mir aus ihrer lichten Sphäre
Die Weisheit nicht zu Hülf' erschienen wäre,
Die aus den Wolken mir die Arme reicht, zu sich 505
Hinauf mich zieht, und mich dahin versetzet,
Wo ihre Lieblinge, frey von Begier und Wahn,
Von keiner Lust gereitzt, von keinem Schmerz verletzet,
Sich den Olympiern und ihrer Wonne nahn."

Hier ward der hohe Schwung, den Phanias zu nehmen 510
Begriffen war, gehemmt. Schon schwanden Raum und Zeit
Aus seinem Blick, schon fühlt er sich entkleidt
Vom niederziehenden Gewand der Sterblichkeit,
Schon war er halb ein Gott; — als eine Kleinigkeit
Die wir uns fast zu sagen schämen 515
Ihn plötzlich in die Unterwelt
Zurücke zog. — Ihr mächtigen Besieger
Der Menschlichkeit, die ihr dem Sternenfeld
Euch nahe glaubt — das Herz ist ein Betrüger!
Erkennet euer Bild in Phanias und bebt! 520
Der Weise, der so kühn sich zum Olymp erhebt,
Der schon so hoch empor gestiegen,
Daß er (wie Sancho dort auf Magellonens Pferd)
Die purpurnen und himmelblauen Ziegen
Des Himmels grasen sieht*, die Sphären singen hört[15], 525

* *wie Sancho dort . . .:* Unter andern Wunderdingen, welche Sancho Pansa auf dieser eingebildeten Luftreise gesehen haben wollte, waren auch die sieben himmlischen Ziegen, (das Siebengestirn) mit denen er sehr gute

Und aus der Gluth, die sein Gehirn verzehrt,
Des Feuerhimmels Nähe schließet,
Ihn, der nichts Sterblich's mehr mit seinem Blick beehrt,
Den stolzen Gast des Äthers, schießet
Musarion mit einem — Blick herab. 530
Doch freylich war's ein Blick, nur jenem zu vergleichen
Den Koypel[43] seinem Amor gab;
Der, euer Herz gewisser zu beschleichen,
Euch schalkhaft warnt, als spräch' er: Seht ihr mich?
Ihr denkt, ich sey ein Kind voll süßer Unschuld, ich? 535
Verlaßt euch drauf! Seht ihr an meiner Seite
Den Köcher hier? Wenn euch zu rathen ist,
So flieht! — Und doch, was hilft die kleine Frist?
Es sey nun morgen oder heute,
Ihr habt ein Herz, und das ist meine Beute! 540

So, oder doch in diesem Ton,
So etwas sprach der Blick, womit Musarion
Den weisen Phanias aus seiner Fassung brachte.
Er sah, er stockt', er schwieg; die alte Flamm' erwachte,
Und seine Augen füllt ein unfreywillig Naß. 545
Die Schöne stellte sich sie sehe nichts, und lachte
Nur innerlich. Drauf sprach sie: „Phanias,
Es dämmert schon. Ich habe mich zu lange
Bey dir verweilt. Athen ist weit von hier;
In dieser Gegend kenn' ich niemand außer dir, 550
Und hier im Hain, gesteh' ich, wäre mir
Die Nacht hindurch vor Ziegenfüßlern[44] bange.
Was ist zu thun? — Ich denk' ich folge dir?"

„Mir? stottert Phanias: gewiß sehr viele Ehre!
Allein mein Haus ist klein" — „Und wenn es kleiner wäre, 555
Für eine Freundin hat die kleinste Hütte Raum." —

Bekanntschaft gemacht zu haben vorgab, und von welchen, wie er getrost versicherte, zwey grün, zwey fleischfarben, zwey himmelblau und eine von gemischter Farbe sind.

„Du wirst an allem Mangel haben,
Ein wenig Milch, ein Ey, und dieses kaum“ –
„Mich hungert nicht.“ – „Nur einen Hirtenknaben,
Dich zu bedienen“ – „Nur? Es ist an Dem zu viel. 560
Wir wollen gehn, mein Freund! die Luft wird kühl“ –
„Vergieb, Musarion; ich muß dir alles sagen:
Mein Häuschen ist besetzt; ich habe seit acht Tagen
Zwey Freunde, die bey mir“ – „Zwey Freunde?“ – „Ja,
und zwar
Die, däucht mir, nicht zu deinem Umgang taugen.“ – 565
„Was sagst du? – Philosophen gar?
Sie haben doch noch ihre Augen?
Gut, Phanias, ich will sie kennen, ich“ –
„Du scherzest.“ – „Nein, mein Herr; ich hatte, wie Ihr mich
Hier seht, von ihrer Art wohl eher 570
Um meinen Nachttisch stehn.“ – „Vergieb, ich zweifle sehr:
Der stoische Kleanth[45]“ – „O Ceres[46]! und wer mehr?“
„Theophron, der Pythagoräer,
Sind schwerlich von so blödem Geist“ –
„O Phanias, ist alles Gold was gleißt? 575
Allein, gesetzt, sie wären lauter Geist,
Was hindert dieß? Nur desto mehr Vergnügen!“ –
„Kurz, wir sind drey, Madam, und auf den Mann
Ein kleines Ruhebett“ – „Man hilft sich wie man kann;
Und können wir den Schlaf durch Schwatzen nicht
betrügen? 580
Wir gehn, mein Lieber – deinen Arm!
Nun, Phanias? macht dir mein Antrag warm?
Man dächt' es wäre hier wer weiß wie viel zu wagen.
Drey Weise werden mir doch wohl gewachsen seyn?
Ich fürchte nichts bey euch, und bin allein.“ 585

Was soll er thun? – Wo Widerstreben
Vorm Untergang das Schiff nicht retten kann,
Da wird ein weiser Steuermann
Mit guter Art sich in den Wind ergeben.
Mein Phanias, der nur aus blöder Scheu 590

Vor seinen Mentorn sich so lange widersetzte,
Schwor, daß er seine Einsiedley
Dem Musentempel ähnlich schätzte,
Weil ihr das Glück beschieden sey,
Die liebenswürdigste der Musen zu beschatten. 595
Schon zeigte sich, daß ihre Reitze noch
Nicht alle Macht auf ihn verloren hatten.
Der ausgetriebne Amor kroch,
So leise, wie auf Blumenspitzen,
Aus ihren Augen in sein Herz. 600
Des Gottes Ankunft kündt ein fliegendes Erhitzen
Der blassen Wang', ein wollustvoller Schmerz
Mit Thränen an, die wider seinen Willen
In runden Tropfen ihm die Augenwinkel füllen.
Er meint er athme nur, und seufzt; starrt unverwandt 605
(Indeß sie schwatzt und scherzt) sie an, als ob er höre,
Und hört doch nichts; drückt ihr die runde Hand,
Und denkt, indem durchs steigende Gewand
Die schöne Brust sich bläht, ob diese halbe Sphäre
Der Pythagorischen[47] nicht vorzuziehen wäre? 610

Die Schöne wurde die Gefahr
Worin der Ruhm der Stoa[48] schwebte,
Den Kampf in seiner Brust und ihren Sieg gewahr,
Und wie vergebens er der Macht entgegen strebte
Wovon (so lispelt ihr der Liebesgott ins Ohr) 615
Die Philosophen selbst, sie wollten
Nun oder wollten nicht, bald Zeugen werden sollten.
Sie sah, wie nach und nach sein Trübsinn sich verlor,
Und wie beredt, wie stark sein Auge sagte,
Was er sich selbst kaum zu gestehen wagte; 620
Allein sie fand für gut, (und that sehr klug daran)
Ihm, was sie sah, und ihrer beiden Seelen
Geheime Sympathie zur Zeit noch zu verhehlen.
Nur sah sie ihn mit solchen Blicken an,
Die er berechtigt war so günstig auszulegen 625
Als ihm gefiel. Allein, macht die Begier verwegen,

So macht die Liebe blöd. Er sah in ihrem Blick
Sonst jeden Reitz, nur nicht sein nahes Glück.

So langten sie, da schon die letzten Strahlen schwanden,
Bey seinem Landgut an, wo sie das weise Paar, 630
Von Linden die im Vorhof standen
Umduftet, unverhofft in einer Stellung fanden,
Die der Philosophie nicht allzu rühmlich war.

ZWEYTES BUCH.

Was, beym Anubis[49]! konnte das
Für eine Stellung seyn, in welcher Phanias 635
Die beiden Weisen angetroffen?
„Sie lagen doch – wir wollen bessers hoffen! –
Nicht süßen Weines voll im Gras?"
Dieß nicht. – „So ritten sie vielleicht auf Steckenpferden?"
Das könnte noch entschuldigt werden; 640
Plutarchus rühmt sogar es an Agesilas*.
Doch von so fei'rlichen Gesichtern, als sie waren,
Vermuthet sich nichts weniger als das.
Ihr Zeitvertreib war in der That kein Spaß;
Denn, kurz, sie hatten sich einander bey den Haaren. 645

Der nervige Kleanth war im Begriff, ein Knie
Dem Gegner auf die Brust zu setzen,
Der, unter ihm gekrümmt, für die Philosophie,
Die keine Bohnen ißt**, die Haare ließ; als sie
In ihrem Skythischen[51] Ergetzen 650
Des Hausherrn Ankunft stört. Beschämt, als hätte ihn
Sein Feind bei einer That, die keine fremde Leute
Zu Zeugen nimmt, ertappt, zum Stehn wie zum Entfliehn

* *Agesilas:* Der Reim muß die kleine Freyheit entschuldigen, daß der Nahme Agesilaus hier in Französischer Gestalt erscheint. Dieser berühmte Spartanische König war ein so gefälliger Vater, daß er einsmahls von einem seiner Freunde überrascht wurde, da er mit seinen Kindern auf dem Steckenpferde herum trabte. Sage ja niemanden nichts davon, sagte Agesilaus zu ihm, bis du selbst Vater bist.

** *die keine Bohnen ißt:* die Pythagorische. Das Verbot ihres Meisters, sich der Bohnen zu enthalten, (über dessen wahren Grund schon viel vergebliches geschrieben worden ist) wurde von den ersten Pythagoräern so heilig beobachtet, und so weit getrieben, daß einige von ihnen, da sie sich von ihren nachsetzenden Feinden nicht anders als durch ein Bohnenfeld retten konnten, lieber den Feinden in die Hände liefen – s i f a b u l a v e r a e s t[50].

Unschlüssig, wünscht er nur dem Gast an seiner Seite
Ein Schauspiel zu entziehn, das sie[52] weit mehr erfreute 655
Als von Menandern[53] selbst (dem Attischen Goldon[54])
Das beste Stück. Allein sie waren schon
Zu nah, sie sah zu gut, der Schauplatz war zu offen,
Er konnte nicht sie zu bereden hoffen
Sie habe nichts gesehn. Die Kämpfer raffen sich 660
Indessen auf; sie ziehen sittsamlich
Die Mäntel um sich her, und stehen da und sinnen
(Weil Phanias, damit sie Zeit gewinnen,
Die Nymph' am Arm, nur schleichend näher kam)
Der Schmach sich selbst bewußter Scham 665
Durch dialektische Mäander[55] zu entrinnen.
Vergebens, wenn Musarion
Großmüthig ihnen nicht zuvor gekommen wäre.
„Die Herren üben sich", spricht mit gelaßnem Ton
Die Spötterin, „vermuthlich nach der Lehre, 670
Daß Leibesübung auch des Geistes Stärke nähre.
Ein männlich Spiel fürwahr! wovon
Mit bestem Recht zu wünschen wäre
Daß unsrer Sitten Weichlichkeit
Nicht allgemach es aus der Mode brächte." 675

Man sieht, sie gab dem wilden Stiergefechte
Ein Kolorit von Wohlanständigkeit;
(Nicht ohne Absicht zwar) — Wer war dabey so freudig
Als Phanias! — Allein der stoische Kleanth
(Zu hitzig oder ungeschmeidig 680
Zu fühlen, daß es bloß in seiner Willkühr stand
Das Kompliment in vollem Ernst zu nehmen)
Zwang seinen Schüler sich noch mehr für ihn zu schämen.
Der Augenblick, worin Musarion
Ihn überfiel, ihr Blick, der schalkhaft sanfte Ton 685
Der Ironie, und (was noch zehnmal schlimmer
Als alles andre war) ihr ungewohnter Schimmer,
Die Majestät der Liebeskönigin,
Das Wollustathmende, das eine Atmosphäre

Von Reitz und Lust um sie zu machen schien, 690
Bestürmt auf einmahl, für die Ehre
Der Apathie* zu stark, den überraschten Sinn.
Er stottert ihr Entschuldigungen,
Zupft sich am Bart, zieht stets den Mantel enger an,
Und unterdeß entwischt dem weisen Mann 695
Was niemand wissen will, – er hab' im Ernst gerungen.
Der Streit, versichert er, ging eine Wahrheit an,
Die er so sonnenklar, so scharf beweisen kann,
Nur ein Arkadisch Thier[56], ein Strauß, ein Auerhahn –
Hier röthet sich sein Kamm, es schwellen Brust und
Lungen, 700
Er schreyt – Mich jammert nur der arme Phanias!
Bald lauter Gluth, bald leichenmäßig blaß,
Steht er beyseits und wünscht vom Boden sich verschlungen
Worauf er steht. – Die Schöne sieht's, und eilt
Ihn von der Marter zu erretten. 705
Mit einem Blick voll junger Amoretten[57]
Und Grazien, der stracks an unsichtbare Ketten
Kleanthens Tollheit legt, Theophrons Rippen heilt,
Spricht sie: „Wenn's euch beliebt, so machen wir die
Fragen,
Wovon die Rede war, zu unserm Tischkonfekt; 710
Ich zög' ein solch Gespräch, sogar bey leerem Magen,
Der Tafel vor, die Ganymedes deckt[58].
Wie freu' ich mich, daß ich den Weg verloren,
Da mir das Glück so viel Vergnügen zugedacht!
Glücksel'ger Phanias, der Freunde sich erkohren, 715
Von denen schon der Anblick weiser macht!
Jetzt wundert mich nicht mehr, wenn er zum Spott der
Thoren
Mitleidig lächeln kann, und, glücklich, wie er ist,
Athen und uns und alle Welt vergißt!"

* *Apathie:* So nannten die Stoiker die vollkommene Gleichgültigkeit ihres Weisen gegen alle sinnlichen Eindrücke von Schmerz und Vergnügen, die ihn natürlicher Weise allen Leidenschaften unzugänglich machen mußte.

So sprach sie; und mit Ohren und mit Augen 720
Verschlingt das weise Paar was diese Muse spricht:
Begier'ger kann die welke Rose nicht
Den Abendthau aus Zephyrs Lippen saugen.
Zusehens schwellen sie von selbst-bewußtem Werth;
Nicht, daß ein fremdes Lob sie dessen erst belehrt: 725
Nur hört man stets mit Wohlgefallen
Aus andrer Mund das Urtheil wiederhallen,
Womit uns innerlich die Eitelkeit beehrt.
Ein Philosoph bleibt doch uns andern allen
Im Grunde gleich: wär' er so stoisch als ein Stein, 730
Und hätte nichts die Ehr' ihm zu gefallen,
Er selbst gefällt sich doch! Schmaucht[59] ihn mit Weihrauch
Und seyd gewiß, er wird erkenntlich seyn. [ein,
Es stieg demnach von Grad zu Grade
Der Schönen Gunst bey unserm Weisenpaar; 735
Ihr lachend Auge fand selbst vor der Stoa Gnade,
Und man vergab es ihr, daß sie so reitzend war.

Ein kleiner Sahl, der von des Hauswirths Schätzen
Kein allzu günstig Zeugniß gab,
Nahm die Gesellschaft auf. Ein ungekämmter Knab' 740
Erschien, die Tafel aufzusetzen,
Lief keuchend hin und her, und hatte viel zu thun
Bis er ein Mahl zu Stande brachte,
Wovon ein wohlbetagtes Huhn
(Doch nicht, der Regel nach, die Kazius[60] erdachte*, 745
In Cypernwein erstickt) die beste Schüssel machte.

* *die Kazius erdachte:* „Kommt (sagt dieser durch seine von Horaz aufbehaltenen Aphorismen aus der Küchenphilosophie berühmt gewordene Epikuräer)

„Kommt unvermuthet dir des Abends spät
Ein Gast noch auf den Hals, so laß dir rathen,
Das alte zähe Huhn, (womit die Noth
Dich ihn bewirthen heißt) damit es ihm
Nicht in den Zähnen stecken bleibe, in
Falerner[61] Moste zu ersticken[62] —"

Horaz. Satiren, 2. B. 4. S.

Ob die Philosophie des guten Phanias
Der schönen Nymphe gegen über
Bey einem solchen Schmaus so gar gemächlich saß,
Läßt man dem Leser selbst zu untersuchen über. 750
Ein wenig falsche Scham, von der er noch nicht ganz
Sich los gemacht, schien ihn vor einem Zeugen
Von seines vor'gen Wohlstands Glanz
Ein wenig mehr als nöthig war zu beugen.
Allein der Dame Witz, die freye Munterkeit, 755
Die was sie spricht und thut mit Grazie bestreut,
Und dann und wann ein Blick voll Zärtlichkeit,
Den sie, als ob sie sich vergäß', erst auf ihn heftet
Dann seitwärts glitschen läßt, entkräftet
Den Unmuth bald, der seine Stirne kräust; 760
Stets schwächer widersteht sein Herz dem süßen Triebe,
Und, eh' er sich's versieht, beweist
Sein ganzes Wesen schon den stillen Sieg der Liebe.

Indessen wird, so sichtbar als es war,
Den beiden Weisen doch davon nichts offenbar, 765
Ob sie die Schöne gleich mit großen Augen messen.
Die Herren dieser Art blendt oft zu vieles Licht;
Sie sehn den Wald vor lauter Bäumen nicht.
Doch sind die unsrigen entschuldigt; denn indessen
Daß Phanias ein liebliches Vergessen 770
Von allem, was sein steifer Pädagog
Ihm jemahls vorgeprahlt, aus schönen Augen sog,
War auf Musarions Verlangen
Das akademische Gefecht schon angegangen,
Womit sie etwas sich zu gut zu thun beschloß. 775
Kleanth bewies bereits: „Der Weise nur sey groß
Und frey, geringer kaum ein wenig
Als Jupiter, ein Krösus, ein Adon[26],
Ein Herkules, und zehnmahl mehr ein König
Auf mürbem Stroh als Xerxes auf dem Thron; 780
Des Weisen Eigenthum, die Tugend, ganz alleine

Sey wahres Gut, und nichts von allem dem
Was unsern Sinnen reitzend scheine
Sey wünschenswürdig" – Kurz, die Wuth für sein System
Ging weit genug, ganz trotzig, ohne Röthe, 785
Zu prahlen: „Wenn in Cypriens[63] Figur
Die Wollust selbst leibhaftig vor ihn träte,
Schön, wie die Göttin sich dem Sohn der Myrrha* nur
Bey Mondschein sehen ließ, – und diese Venus böte
Auf seinem Stroh ihm ihre schöne Brust 790
Zum Polster an – ein Mann wie Er verschmähte
Den süßen Tausch." –
Hier war es, wo die Lust
Des Widerspruchs Theophron sich nicht länger
Versagen kann – ein Mann von krausem schwarzem Bart
Und Augen voller Gluth, kein übler Sänger 795
Und Citarist[64], dabey ein Grillenfänger
So gut als jener, nur von einer andern Art.
„Das geht zu weit, (fiel er Kleanthen in die Rede)
Zum mindsten führet es gar leicht zu Mißverstand.
Nicht daß ich hier das Wort der Wollust rede 800
Im gröbern Sinn! Die ist unläugbar eitel Tand
Und Schaum und Dunst, ein Kinderspiel für blöde
Unreife Seelen, die mit ihren Flügeln noch
Im Schlamm des trüben Stoffes stecken**.
Doch sollt' uns nicht die Nektartraube schmecken, 805
Weil ein Insekt auf ihrem Purpur kroch?
Der Mißbrauch darf nicht unser Urtheil leiten:

* *Sohn der Myrrha:* dem Adonis, dem geliebtesten unter ihren sterblichen Günstlingen.

** *Im Schlamm des Stoffes stecken:* Anspielung auf eine von den Pythagoräern und von Plato aus einer uralten morgenländischen Vorstellungsart angenommene Lehre von der dämonischen Natur der menschlichen Seele, ihrer Präexistenz in der Geisterwelt und ihrem Sturz in die Materie, wovon der göttliche Plato in seinem Phädrus, im 10ten Buche von den Gesetzen, im Timäus u. a. O. uns mancherley schwer zu begreifende Dinge offenbart.

Alt ist der Spruch, zu selten sein Gebrauch!
Saugt nicht auf gleichem Rosenstrauch
Die Raupe Gift, die Biene Süßigkeiten?" 810

Begeistert wie ein Korybant[65],
Und von Musarion die Augen unverwandt,
Fing jetzt Theophron an, in dichterischen Tönen,
Vom Ersten Wesentlichen Schönen
Zu schwärmen[66]: „Wie das alles, was wir sehn 815
Und durch der Sinne Dienst mit unsrer Seele gatten,
Von dem, was übersinnlich schön
Und göttlich ist, nur wesenlose Schatten,
Nur Bilder sind, wie wenn in stiller Flut,
Von Büschen eingefaßt, sich Sommerwolken mahlen." 820
Von da erhob er sich, bey immer wärmerm Blut,
„Zu den geheimnißvollen Zahlen,
Zur sphärischen Musik, zum unsichtbaren Licht,
Zuletzt zum Quell des Lichts." – Ekstatischer hat nicht,
Wie aus der alten Nacht die schöne Welt entsprungen, 825
Und vom Deukalion[67], und von der goldnen Zeit,
Virgils Silen[68] den Knaben vorgesungen
Die ihn im Schlaf erhascht und zum Gesang gezwungen.

Dann fuhr er fort, und sprach „vom Tod der Sinnlichkeit,
Und wie durch magische geheime Reinigungen 830
Die Seele nach und nach vom Stoffe sich befreyt,
Und wie sie, durch Enthaltsamkeit
Von Erdetöchtern und – von Bohnen,
Zum Umgang tüchtig wird mit Göttern und Dämonen.
Bis sie (dem Wurme gleich, der in die Sommerluft 835
Auf neuen Flügeln sich erhebet)
Dem Stoff sich ganz entreißt und ihres Körpers Gruft,
Zur Göttin wird und unter Göttern lebet."

Belustigt an dem hohen Schwung,
Den unser Doktor nahm, stellt sich die schlaue Schöne, 840
Als ob vor Hörenslust und vor Bewunderung

Ihr Busen sich in seinen Fesseln dehne.
Zum Unglück für den Mann, der lauter Wunder spricht,
Entsteht dadurch (und sie bemerkt es nicht)
Ich weiß nicht welche kleine Lücke, 845
Die seinen Flug auf einmahl unterbricht;
Und wie zuletzt die Richtung seiner Blicke
Ihr sichtbar macht was ihn zerstreut,
Und sie beschäftigt scheint den Zufall zu verbessern,
Hat sie die Ungeschicklichkeit, 850
(Wofern's nicht Bosheit war) das Übel zu vergrößern.

Der Umstand ist an sich nur eine Kleinigkeit;
Doch wird vielleicht die Folge zeigen
Daß er entscheidend war. Es folgt ein tiefes Schweigen,
Wobey Kleanth sogar das volle Glas, 855
Und, was kaum glaublich ist, die Lust zum Zank vergaß;
Indeß, vertieft in Sinus und Tangenten[69],
Der Jünger des Pythagoras
Den wallenden Kontur* gewisser Sphären maß,
Woran die Lambert[70] selbst sich übermessen könnten; 860
Vor Amorn unbesorgt, der hier zu lauern pflegt,
Und schon den schärfsten Pfeil auf seinen Bogen legt.

Mit lächelnder Verachtung sieht die Dame
Das weise Paar, mit seinem Flitterkrame

* *Kontur:* Das Wort Kontur (Contour, Conturno,) scheint uns unter diejenigen ausländischen Kunstwörter zu gehören, welche man sonst, aus Ermanglung eines gleichbedeutenden Deutschen Wortes, immer nur durch Umschreibung zu geben genöthigt wäre. Denn Kontur und Umriß sind keinesweges gleichbedeutend. Umriß heißt bloß das, was von der Form eines Körpers durch den Sinn des Gesichts erkannt wird: Kontur hingegen bezeichnet eigentlich die Vorstellung, die wir von einer körperlichen Form vermittelst des Gefühls und Betastens erhalten. Es ist eine bloße Täuschung — nicht unsrer Sinne, sondern unsers voreiligen Urtheils, wenn wir den Kontur eines Körpers (z. B. der Sphären, wovon hier die Rede ist) zu sehen glauben. Bevor wir ihn durch das Gefühl ausgetastet, haben wir von seiner Form nur eine sehr mangelhafte Vorstellung, weil uns das Auge nicht mit der Dichtheit, Rundung, Eckigkeit, Glätte, Rauheit, u.s.w. sondern bloß mit der heller oder dunkler gefärbten Oberfläche der Körper bekannt macht.

Von falschen Tugenden und großen Wörtern, an; 865
Und eh' die Herren sich's versahn,
Weiß sie mit guter Art den unbescheidnen Blicken,
Was ihres gleichen zu entzücken
Die Charitinnen[71] nicht mit eigner Hand
So schön gedreht, auf einmahl zu entrücken; 870
Und alles sinkt sogleich in seinen alten Stand.

Drauf sprach sie: „In der That, man kann nichts schöners hören,
Als was Theophron uns vom unsichtbaren Licht,
Von Eins und Zwey, von musikal'schen Sphären,
Vom Tod der Sinnlichkeit und von Vergött'rung spricht. 875
Wie Schade, wär' es nur ein schönes Luftgesicht
Wornach er uns die Lippen wässern machte!
Und doch, der Weg zu diesem stolzen Glück
Ist, däucht mir, das, woran er nicht gedachte?"

Theophron, noch ganz warm von dem was seinem Blick 880
Entzogen war, und voll von wollustreichen Bildern,
Beginnt den Weg, den Prodikus so schmal
Und rauh und dornig mahlt*, so angenehm zu schildern,
So lachend wie ein Rosenthal
Zu Amathunt[73], dem Aufenthalt der Freuden. 885
Ein Sybarit[74], der einen Weg aus beiden
Zu wählen hätt', erwählte sonder Müh
Den blumigen, den die Philosophie
Theophrons ging, — durch zauberische Schatten,
Wo Geist und Körper sich, bey ungewissem Licht, 890
In schöne Ungeheuer gatten[75],
Und Amor, nicht der kleine Bösewicht
Den Koypel[43] mahlt, ein andrer von Ideen,
Wie der zu Gnid[76] von Grazien umschwebt,
Ein Amor, der vom Haupt bis zu den Zehen 895

* *den Prodikus so rauh und dornig mahlt:* den Weg der Tugend, in der Erzählung von Herkules auf dem Scheidewege, auf welche im ersten Buche schon angespielt wird[72].

Voll Augen ist und nur vom Anschaun lebt,
Der Seele Führer wird, sie in die Wolken hebt,
Und, wenn er sie zuvor — in einem kleinen Bade
Von Flammen — wohl gereinigt und gefegt,
Sie stufenweis durch die gestirnten Pfade 900
Bis in den Schooß des höchsten Schönen trägt.

Doch eh' zu so erhabner Liebe
Die Seele leicht genug sich fühlt,
Befreyt Theophron sie vorher von jedem Triebe,
Der thierisch im Morast des groben Stoffes wühlt. 905
„Und hier ist's", fährt er fort, „wo unsre Afterweisen
Ein falsches Licht verführt. Die guten Leute preisen
Uns ihre Apathie als ein Geheimniß an,
Das uns zu mehr als Göttern machen kann*.
Nach ihnen soll der Weise alles meiden 910
Was Aug' und Ohr ergetzt; so kleine Kinderfreuden
Sind ihm zu tändelhaft; stets in sich selbst gekehrt
Beweist er sich allein durch das was er entbehrt
Die Größe seines Glücks, fühlt nichts, um nichts zu leiden,
Und — irret sehr. Das Schöne kann allein 915
Der Gegenstand von unsrer Liebe seyn;
Die große Kunst ist nur, vom Stoff es abzuscheiden.
Der Weise fühlt. Dieß bleibt ihm stets gemein
Mit allen andern Erdensöhnen:
Doch diese stürzen sich, vom körperlichen Schönen 920
Geblendet, in den Schlamm der Sinnlichkeit hinein,
Indessen wir daran, als einem Wiederschein,

* *zu mehr als Göttern machen kann:* Denn, da die Götter keine Bedürfnisse und also auch keine Leidenschaften haben, so würde ein Sterblicher, der es in der Apathie so weit als ein Gott bringen könnte, eben darum weil sie nicht eine nothwendige Eigenschaft seiner Natur, sondern ein Werk seines freyen Willens und eines nicht immer leichten Sieges über seine Sinnlichkeit wäre, mehr als ein Gott seyn. Daher sagt Seneka: „Est aliquid quo Sapiens antecedat Deum; ille naturae beneficio non timet, suo Sapiens[77]" (Epist. 53). Und an einem andern Orte: „Sapiens tam aequo animo omnia apud alios videt contemnitque quam Jupiter; et hoc se magis suspicit, quo Jupiter illis uti non potest, Sapiens non vult[78]" (Ep. 73).

Ins Urbild selbst zu schauen uns gewöhnen.
Dieß ist's, was ein Adept[79] in allem Schönen sieht,
Was in der Sonn' ihm strahlt und in der Rose blüht. 925
Der Sinnensklave klebt, wie Vögel an der Stange,
An einem Lilienhals, an einer Rosenwange;
Der Weise sieht und liebt im Schönen der Natur
Vom Unvergänglichen die abgedrückte Spur.
Der Seele Fittich wächst in diesen geist'gen Strahlen, 930
Die, aus dem Ursprungsquell des Lichts
Ergossen, die Natur bis an den Rand des Nichts
Mit fern nachahmenden nicht eignen Farben mahlen.
Sie wächst, entfaltet sich, wagt immer höhern Flug,
Und trinkt aus reinern Wollustbächen; 935
Ihr thut nichts Sterbliches genug,
Ja, Götterlust kann einen Durst nicht schwächen
Den nur die Quelle stillt. So, meine Freunde, wird,
Was andre Sterbliche, aus Mangel
Der höhern Scheidekunst, gleich einer Flieg' am Angel, 940
Zu süßem Untergange kirrt,
So wird es für den ächten Weisen
Ein Flügelpferd zu überird'schen Reisen.

Auch die Musik, so roh und mangelhaft
Sie unterm Monde bleibt – denn, ihrer Zauberkraft 945
Sich recht vollkommen zu belehren,
Muß man, wie Scipio, die Sphären
(Zum wenigsten im Traume) singen hören* –
Auch die Musik bezähmt die wilde Leidenschaft,
Verfeinert das Gefühl, und schwellt die Seelenflügel; 950
Sie stillt den Kummer, heilt die Milzsucht aus dem Grund,

* *wie Scipio, die Sphären . . . singen hören:* Anspielung auf eine Stelle in dem bekannten Traumgesichte des Scipio[80], dem schönsten Fragmente, das sich von dem verloren gegangenen Werke des Cicero, de Republica, erhalten hat, worin die Harmonie, die aus den verschiedenen Intervallen der Bewegung der Planetenkreise und des Sternhimmels entstehen soll, nach Pythagorischen Begriffen, wiewohl nicht sehr verständlich, beschrieben wird. Cicero läßt den jungen Scipio diese himmlische Harmonie in seinem Traumgesichte hören: Pythagoras hatte, nach der

Und wirkt (zumahl aus einem schönen Mund)
Mehr Wunderding' als Salomonis Siegel[83]."

Hier kann Kleanth nicht länger ruhn,
Er muß, vom Wahrheitsdrang gezwungen, 955
Der Schwärmerey des Mannes Einhalt thun;
Denn alles was Theophron uns gesungen,
War, seinem Urtheil nach, vollkommner Aberwitz.
Schon richtet er auf seinem Polstersitz,
Den rechten Arm entblößt, die Stirn in stolzen Falten, 960
Sich drohend auf, und hat, noch eh' er spricht,
Den leichten Sieg bereits erhalten;
Als ihn ein Auftritt unterbricht,
Auf den das weise Paar sich nicht gefaßt gehalten.

Der Sahl eröffnet sich und eine Nymphe tritt 965
Herein, das Haupt mit einem Korb beladen,
Den Busen leicht verhüllt, und gleich den Oreaden[23]
So hoch geschürzt, daß jeder schnelle Schritt
Den schlanken Fuß bis an die feinsten Waden
Und oft sogar ein Knie von Wachs entdeckt, 970
Das eilend wieder sich im dünnen Flor versteckt.
Nicht schöner mahlt die Heben und Auroren
Alban[84], der, wie ihr wißt, so gerne Nymphen mahlt.
Mit einem Wort, sie war so auserkohren,
Daß unser Theosoph[85] (beym ersten Blick verloren 975
Im Wiederschein, der ihm entgegen strahlt)
Die Düfte nicht empfindt, die aus dem Korbe steigen,
Und die Kleanth mit Mund und Nase in sich schlürft.
Musarion, die sich den Ausgang schon entwirft,
Winkt ihrem Freund ein Pythagor'sches Schweigen[86], 980

Versicherung seines Legendenschreibers Jamblichus[81], das Vorrecht sie sogar wachend zu vernehmen; und die Ursache, warum sie nicht von jedermann gehört wird, ist bloß, weil dieses Getön so stark ist, daß es unser Ohr gänzlich übertäubt. Hoc sonitu oppletae aures hominum obsurduerunt, nec est ullus hebetior sensus in vobis[82]. Somn. Scip. c. 5.

Indeß den Korb die schöne Sklavin leert,
Und mit sechs großen Nektarkrügen,
(Genug von einem Faun den Weindurst zu besiegen)
Mit Früchten und Konfekt den runden Tisch beschwert.

„Die Herren (spricht hierauf die Schöne) haben beide 985
Mich wechselsweise, so wie jeder sprach, bekehrt:
Wie sehr ich auch das Glück der Apathie[87] beneide,
So däucht mich doch die geist'ge Augenweide,
Die uns Theophron zeigt, nicht minder wünschens-
werth.
Erlaubet, daß ich mich ein andermahl entscheide. 990
Es sey der Rest der Nacht, die mich so viel gelehrt,
Den Musen heilig und der Freude!
Nimm, Phanias, die Schal', und gieß sie aus
Der himmlisch lächelnden Cytheren[21];
Und du, Theophron, gieb uns einen Ohrenschmaus, 995
Und laß zum Saitenspiel uns deine Stimme hören."

Das leichte philosoph'sche Mahl
Verwandelt nun (Dank sey der Oreade,
Die Hebens Dienste[88] thut) durch unbemerkte Grade
Sich in ein kleines Bacchanal. 1000
Zwar läßt zum Lob des unsichtbaren Schönen
Der bärtige Apoll[89] das ganze Haus ertönen;
Allein sein Blick, der nie von Chloens Busen weicht,
Beweist, wie wenig was er fühlet
Dem was er singt, und einer Rolle gleicht, 1005
Die auch der künstlichste Komödiant so leicht
Und ungezwungen nie, wie seine eigne, spielet.
Die lose Sklavin hilft des Weisen Lüsternheit
Durch listige Geschäftigkeit
Mit jedem Augenblick lebhafter anzufachen; 1010
Stets ist sie um ihn her, und macht sich tausend Sachen
Mit ihm zu thun, in immer hellerm Glanz
Die Reitzungen ihm vorzuspiegeln,
Die nur zu sehr die Seel' in ihm beflügeln

Die unterm Zwerchfell thront*. Ein großer Blumen-
kranz 1015
Womit sie seine Stirne schmücket,
Vollendet was ihm fehlt, damit wer ihn erblicket,
Wie er den Zärtlichen und Angenehmen macht,
Fast überlaut ihm an die Nase lacht.

Wie traurig, Phanias, siehst du die schönste Nacht, 1020
Dir ungenützt, bey diesem Spiel verstreichen!
Er gähnt die Freundin kläglich an,
Er winkt, er seufzt: umsonst, sie folget ihrem Plan,
Und denkt vielleicht nicht weniger daran
Ihn mit dem seinen zu vergleichen. 1025

Zu ihrer Freude bringt der schlauen Chloe Kunst
Den schlüpfrigen Pythagoräer
Dem abgeredten Ziel zusehends immer näher.
Er buhlt durch Blicke schon um ihre Gegengunst
So feyerlich, antwortet ihren Blicken 1030
Mit so fanatischem, so komischem Entzücken,
Daß Hogarths Laune[90] selbst kaum weiter gehen kann.
Wozu, Verführerin, bietst du den Nektarbecher
Dem Lechzenden so zaubrisch lächelnd an?
Sein Brand bedarf kein Öhl! Nimm lieber einen Fächer, 1035
Und kühle seinen Mund und seiner Wangen Gluth!
Wohnt so viel Grausamkeit in sanften Mädchenseelen?
Glaubt ihr, ein weiser Mann sey nicht von Fleisch und Blut?

* *Seel' . . . die unterm Zwerchfell thront:* Plato giebt in seinem Timäus dem Menschen drey Seelen, wovon die erste göttlicher und unsterblicher Natur ist und ihren Sitz im Haupte hat, von den beiden andern sterblichen aber die eine die Brusthöhle, und die andere (deren Begierden bloß auf Befriedigung der körperlichen Bedürfnisse gehen) die Gegend zwischen dem Zwerchfell und Nabel zu ihrer Wohnung angewiesen bekommen hat, „wo sie (sagt der hochweise Timäus) gleich einem Thiere, das nichts zu thun hat als zu fressen, an die Krippe angebunden, so weit als möglich von dem denkenden und regierenden Princip entfernt worden ist, um dasselbe desto weniger durch ihr Geräusch und Geschrey nach Futter in der Ruhe zu stören, deren es, zu der ihm obliegenden Besorgung dessen was Allen zuträglich ist, vonnöthen hat.“

Doch Chloe weiß vermuthlich was sie thut;
Sie hat die Miene nicht, ihn unbelohnt zu quälen. 1040

Nicht wenig stolz auf sein gefrornes Blut,
Beweist indeß mit hoch empor geworfner Nase
Kleanth, der Stoiker, bey oft gefülltem Glase,
Daß Schmerz kein Übel sey, und Sinnenlust kein Gut.
Ihm hängt, wie dort Horaz, dem trägen 1045
Lastbaren Thiere gleich, sein Lehrling[91], weil er muß
Verzweiflungsvoll ein schläfrig Ohr entgegen*,
Und widerspricht zuletzt aus Langweil und Verdruß.
Natürlich reitzet dieß noch mehr des Weisen Galle:
Im Eifer schenkt er sich nur desto öfter ein, 1050
Glaubt, daß er Wasser trinkt, nicht Wein,
Und demonstriert den Aristipp[93], und alle
Die seiner Gattung sind, in Circens Stall[94] hinein.

Sein Eifer für den Lieblingssatz der Halle**,
Durch jeden Widerspruch und jedes Glas vermehrt, 1055
Hat von sechs Flaschen schon die dritte ausgeleert;
Als der Planetentanz***, womit der Geisterseher

* *ein schläfrig Ohr entgegen:* Anspielung auf die Stelle in der 9ten Satire des ersten Buchs der Horazischen Satiren:

Demitto auriculas ut iniquae mentis asellus
Dum gravius dorso subiit onus[92].

** *den Lieblingssatz der Halle:* der stoischen Philosophie, die von der vornehmsten der Hallen (oder bedeckten Säulengänge) in Athen, welche gewöhnlich, wegen der Gemählde womit sie geziert war, die Poikile (die bunte) genannt wurde, ihren Beynahmen erhielt, und, so wie diese Halle selbst, auch die Stoa schlechtweg hieß, weil Zeno und seine Nachfolger in derselben öffentlich zu lehren pflegten.

*** *als der Planetentanz:* Vermuthlich ein Pythagorischer Tanz, der die Bewegungen der Planeten nachahmt. Es scheint hier auf eine Stelle in Lucians Dialog über die Tanzkunst gedeutet zu werden, wo Lycinus sagt: „Die Tanzkunst habe mit dem ganzen Weltall einerley Ursprung, und sey mit jenem uralten Amor des Orpheus und Hesiodus zugleich zum Vorschein gekommen. Denn (setzt er hinzu) was ist jener Reigen der Gestirne und jene regelmäßige Verflechtung der Planeten mit den Fixsternen und die gemeinschaftliche Mensur und schöne Harmonie ihrer Bewegungen anders als Proben jenes uranfänglichen Tanzes?"

Die Dame zum Beschluß ergetzt,
Ihn vollends ganz in Flammen setzt.
Nun wird nichts mehr verschont: Ägypter und Chaldäer* 1060
Erfahren seine Wuth, wie er des Weingotts Macht;
Und eh' der Tänzer noch uns von den Antipoden
Den Gott des Lichts zurück gebracht,
Fällt taumelnd sein Rival und liegt besiegt zu Boden.

Der dritte Akt des Lustspiels schließt sich nun, 1065
Und alles sehnet sich, den Rest der Nacht zu ruhn.
Kleanth, der, wie er lag, Virgils Silenen[68]
Nicht übel glich, (nur daß er nicht erwacht,
So sehr ihn Chloe zwickt, so laut man um ihn lacht)
Wird standsgemäß, umtanzt von beiden Schönen, 1070
Mit Bacchischem Triumph in — einen Stall gebracht,
Und lachend wünschet man einander gute Nacht.

* *Ägypter und Chaldäer / Erfahren seine Wuth:* will vermuthlich so viel sagen, Kleanth habe seinen Eifer gegen die Pythagorisch seynsollenden Thorheiten des Theophron bis zu einem Ausfall gegen die alten Chaldäischen und Ägyptischen Weisen getrieben, von welchen Pythagoras, nach der gemeinen Sage, die vornehmsten Lehren und den Geist seiner Philosophie geborgt haben sollte.

DRITTES BUCH.

Die Schöne lag auf ihrem Ruhebette,
Und hatte (fern, vermuthlich, vom Verdacht
Daß sie bey Phanias sich vorzusehen hätte,) 1075
Ihr Mädchen fortgeschickt. Es war nach Mitternacht;
Ein leicht Gewölke brach des Mondes Silberschimmer,
Und alles schlief: als plötzlich, wie ihr däucht,
Den Gang herauf zu ihrem kleinen Zimmer
Mit leisem Tritt – ich weiß nicht was sich schleicht. 1080

Sie stutzt. Was kann es seyn? Ein Geist? nach seinen
Tritten –
Besuch von einem Geist! den wollt' ich sehr verbitten,
Denkt sie. Indem eröffnet sich die Thür,
Und eh' sie's ausgedacht, steht – Phanias vor ihr.

„Vergieb, Musarion, vergieb, (so fing der Blöde 1085
Zu stottern an) die Zeit ist unbequem –
Allein" – „Wozu", fiel ihm die Freundin in die Rede,
„Wozu ein Vorbericht? Wenn war ich eine Spröde?
Ein Freund ist auch zur Unzeit angenehm:
Er hat uns immer was, das uns gefällt, zu sagen." 1090

„Dein Ton (erwiedert er) beweist,
Wie wenig dieser Schein von Güte meinen Klagen
Mitleidiges Gefühl verheißt.
Du siehst mein Innerstes, und kannst mich lächelnd plagen?
Siehst, daß ein Augenblick mir hundert Jahre scheint, 1095
Und findest noch ein grausames Behagen
An meiner Qual? Du treibst mich zum Verzagen,
Kaltsinnige, und nennst mich deinen Freund?
Wie grausam rächst du dich!" –
„Ich?" – fällt sie ein, „mich rächen?

Träumt Phanias? – Er liebte mich vordem; 1100
Er hörte wieder auf! War dieses ein Verbrechen?
War's jenes? Mir, mein Freund, war beides angenehm.
Wir Mädchen sehn doch immer mit Vergnügen
Die Weisheit eines Manns zu unsern Füßen liegen.
Allein, als Freundin säh' ich dich 1105
Noch lieber kalt für mich – als lächerlich."

„Wie du mich martern kannst, Musarion! Viel lieber
Stoß einen Dolch in dieses Herz, das du
Nicht glücklich machen willst!" –
„Nichts tragisches, mein Lieber!
Komm, setze dich gelassen gegen über, 1110
Und sag' uns im Vertraun, wie viel gehört dazu,
Damit ich dich so glücklich mache
Als du verlangst?" – „Mich lieben, wie ich dich!" –
„So liebt mich Phanias, der noch so kürzlich mich
Mit Abscheu von sich warf?" – „Ist (ruft er) dieß nicht
Rache? 1115
Du weißt zu wohl, ich war nicht Ich
In jener unglücksel'gen Stunde;
Gram und Verzweiflung sprach aus meinem irren Munde;
Ich lästerte die Lieb', und fühlte nie
Mein Herz so voll von ihr. Ich war zu sehr betroffen, 1120
Zu wissen was ich sprach, und hielt für Ironie
Was du mir sagtest. Konnt' ich hoffen,
Daß was Athen von mir, mich von Athen verbannt,
Dein Herz allein mir plötzlich zugewandt?
Erwäge dieß, und kannst du nicht vergeben 1125
Was ich mir selbst zwar nicht vergeben kann,
So blicke mich noch einmahl an,
Und nimm mit diesem Blick mir ein verhaßtes Leben.
Ob ich dich liebe? ach!" –
„Nun, bey Dianen! Freund,
Die Liebe macht bey dir sehr klägliche Geberden: 1130
Sie spricht so weinerlich, daß mir's unmöglich scheint
In diesen Ton jemahls gestimmt zu werden.

Die hohe Schwärmerey taugt meiner Seele nicht,
So wenig als Theophrons Augenweide:
Mein Element ist heitre sanfte Freude, 1135
Und alles zeigt sich mir in rosenfarbnem Licht.
Ich liebe dich mit diesem sanften Triebe,
Der, Zephyrn gleich, das Herz in leichte Wellen setzt,
Nie Stürm' erregt, nie peinigt, stets ergetzt:
Wie ich die Grazien, wie ich die Musen liebe, 1140
So lieb' ich dich. Wenn dieß dich glücklich machen kann,
So fängt dein Glück mit diesem Morgen an,
Und wird sich nur mit meinem Leben enden."

Welch einen Strahl von unverhofftem Licht
Läßt dieses Wort in seine Seele fallen! 1145
Er glaubte seinem Ohr den süßen Wechsel nicht;
Allein, er sieht das Glück, das ihm ihr Mund verspricht,
In ihren schönen Augen wallen.
Vor Wonne sprachlos sinkt sein Mund auf ihre Hand;
Wie küßt er sie! 1150
Sein inniges Entzücken
Entwaffnet ihren Widerstand;
Sie gönnet ihm und sich die Lust ihn zu beglücken,
Die Lust die so viel Reitz für schöne Seelen hat;
Selbst da er sich vergißt bestraft sie ihn so matt,
Daß er es wagt, den Mund an ihre Brust zu drücken. 1155

Die Nacht, die Einsamkeit, der Mondschein, die Magie
Verliebter Schwärmerey, ihr eignes Herz, dem sie
Nur lässig widersteht, wie vieles kommt zusammen,
Das leichte Blut der Schönen zu entflammen!
Allein Musarion war ihrer selbst gewiß: 1160
Und als er sich durch das was sie erlaubte,
Nach Art der Liebenden, zu mehr berechtigt glaubte,
Wie stutzt' er, da sie sich aus seinen Armen riß!

Daß eine Phyllis[95] sich erkläret
Sie wolle nicht, daß sie mit — leiser Stimme schreyt, 1165

Und wenn nichts helfen will, euch — lächelnd dräut,
Und sich, so lang' es hilft, mit stumpfen Nägeln wehret*,
Ist nichts befremdliches. Ein Satyr kaum verzeiht
Den Nymphen, die er hascht, zu viele Willigkeit.
Sie sträuben sich: gut, dieß ist in der Regel; 1170
Und so verstand es auch der schlaue Phanias.
Er irrte sich, es war nicht das!
Sie scherzte nicht, und wies ihm keine Nägel.

Nach mehr als Einem fehl geschlagenen Versuch
Fängt unser Held sehr kläglich an zu krähen. 1175
Und in der That, wer hätte sich's versehen?
Man treibt in einem Ritterbuch[97]
Die Tugend kaum so weit! — Doch will er nicht gestehen,
Daß dieß Betragen Tugend sey:
Er nennt es Eigensinn und Grillenfängerey; 1180
Er schilt sie spröd, unzärtlich, unempfindlich.
Die Schöne, die gesteht daß sie uns günstig sey,
Macht, seiner Meinung nach, sich zum Beweis verbindlich.

„Und ich mein Herr, (versetzt sie) die so viel
Beweisen soll, bin ich, nach eurer Sittenlehre, 1185
Nicht auch befugt daß ich Beweis begehre?
Und wie, wenn eure Gluth ein bloßes Sinnenspiel,
Ein flüchtiger Geschmack, ein kleines Fieber wäre?
Wenn Phanias mich liebt, so räumt er, hoff' ich, ein,
Daß ich, eh' ich mich selbst verschenke, 1190
Auf meine Sicherheit vorher ein wenig denke.
Bey Leuten von so warmem Blut
Ist diese Vorsicht wohl nicht allzu weit getrieben.
Verzeihe, wenn sie dir ein wenig Unrecht thut;
Allein du selber willst daß wir im Ernst uns lieben? 1195
Sonst tändelt' ich mit Amors Pfeilen nur:

* *mit stumpfen Nägeln wehret:* Anspielung auf das Horazische — praelia virginum sectis in juvenes unguibus acrium[96], in der sechsten Ode des ersten Buchs.

Jetzt, da er mich erhascht, ist's nicht mehr Zeit zum Lachen;
Es ist darum zu thun daß wir uns glücklich machen,
Und nur vereinigt kann dieß Weisheit und Natur."

Unwiderstehlich, sagt man, sey 1200
Der Weisheit Reitz aus einem schönen Munde.
Wir geben's zu, so fern euch nicht dabey
Aus einem Nachtgewand mit nelkenfarbnem Grunde
Ein Busen reitzt, der, jugendlich gebläht,
Die Augen blendt und niemahls stille steht; 1205
Ein Busen, den die Göttin von Cythere[21],
Wenn eine Göttin nicht zum Neid zu vornehm wäre,
Beneiden könnt'. In diesem Falle fand
Sich, leider! unser Held, von zwey verschiednen Kräften
Gezogen. Mußt' er auch so starr und unverwandt 1210
Auf die Gefahr ein lüstern Auge heften?
Natürlich muß der stärkre Sinn
Des schwächern Eindruck bald verdringen[98];
Und was die Freundin spricht, ihn zu sich selbst zu bringen,
Schwebt ungefühlt an seinen Ohren hin. 1215
Was Amor nur vermag um Spröde zu bezwingen,
Was, wie man sagt, schon Drachen zahm gemacht,
Die Künste, die Ovid in ein System gebracht[99],
Die feinsten Wendungen, die unsichtbarsten Schlingen
Versucht er gegen sie, und keine will gelingen. 1220

„Ergieb dich (spricht zuletzt die schöne Siegerin)
Mit guter Art! Du siehst, wie nachsichtsvoll ich bin
So vielen Übermuth zu tragen:
Mehr Eigensinn, erlaube mir's zu sagen,
Beleidigt meine Zärtlichkeit, 1225
Und dient zu nichts, als deine Prüfungszeit
Mehr, als ich selbst vielleicht es wünsche, zu verlängern.
Genug von diesem! Schwatzen wir,
Wenn dir's gefällt, von unsern Grillenfängern.
Ich weiß nicht wie der Einfall mir 1230

Zu Kopfe steigt — allein, ich wollte schwören,
Daß diesen Augenblick — was meinst du, Phanias? —
Mein Mädchen — rathe doch! — und dein Pythagoras" —

„Wie? etwa gar die Sphären singen hören?
(Versetzt mit Lachen Phanias) 1235
Das hieße mir ein Abenteuer!
Und doch, wer weiß? Ich merkte selbst so was:
Es wallte, däuchte mich, ein ziemlich irdisch Feuer
In seinem Aug', als Chloens lose Hand
Den Blumenkranz um seine Stirne wand. 1240
Wie viel, Musarion, hab' ich dir nicht zu danken!
Was für ein Thor ich war, Gesellen dieser Art,
An denen nichts als Mantel, Stab und Bart
Sokratisch ist, (wie haß' ich den Gedanken!)
Ein Paar, das nur in einem Possenspiel 1245
Bey rohen Satyrn und Bacchanten[100]
Zu glänzen würdig ist, für Weise, für Verwandten
Der Götter anzusehn!" —

„Du thust dir selbst zu viel,
(Fällt ihm die Freundin ein) und, wie mich däucht, auch ihnen.
Kein Übermaß, mein Freund, ich bitte sehr! 1250
Du schätztest sie vordem vermuthlich mehr,
Jetzt weniger, als sie vielleicht verdienen."

„Was hör' ich (ruft er) spricht Musarion für sie?
Du scherzest! Hätt'st du auch (was du gewißlich nie
Gethan hast) dieß Gezücht so hoch als ich gehalten, 1255
So müßte dir, nach dem was wir gesehn,
Der günst'ge Wahn so gut als mir vergehn.
Wie? dieser Stoiker, der nur die Tugend schön
Und gut erkennt, entlarvt in einen alten
Bezechten Faun! — Theophron, der vom Glück 1260
Der Geister singt, indeß sein unbescheidner Blick
In Chloens Busen wühlt — Was braucht es mehr Beweise?" —

„Daß sie sehr menschlich sind, (fällt ihm die Freundin ein)
Und in der That nicht ganz so weise
Als ihr System, das zeigt der Augenschein. — 1265
Und dennoch ist nichts mächtiger, um Seelen
Zu starken Tugenden zu bilden, unsern Muth
Zu dieser Festigkeit zu stählen,
Die großen Übeln trotzt und große Thaten thut,
Als eben dieser Satz, für welchen dein Kleanth 1270
Zum Märtyrer sich trank. Die alten Herakliden[101],
Die Männer, die ihr Vaterland
Mehr als sich selbst geliebt, die Aristiden[102],
Die Phocion[103] und die Leonidas[104],
Ruhmvolle Nahmen!" — „Gut! (ruft unser Mann) und waren 1275
Sie etwann Stoiker?" — „Sie waren, Phanias,
Noch etwas mehr! Sie haben das erfahren
Was Zeno[27] spekuliert; sie haben es gethan!
Warum hat Herkules Altäre?
Den Weg, den Prodikus[9] nicht gehn, nur mahlen kann, 1280
Den ging der Held" —
„Und wem gebührt davon die Ehre,
Als der Natur, die ihn, und wer ihm gleicht, gebar
Und auferzog, eh' eine Stoa war?
Ein Held wird nicht geformt, er wird geboren."

„Indessen hat, weil ihr der erste Preis gebührt, 1285
Doch Plato nicht sein Recht an Phocion verloren*.
Was die Natur entwirft, wird von der Kunst vollführt.
Die Blume, die im Feld sich unbemerkt verliert,
Erzieht des Gärtners Fleiß zum schönsten Kind der Floren[106]."

* *Plato nicht sein Recht an Phocion verloren:* Daß dieser unter den Feldherren und Staatsmännern so seltene Mann in seiner ersten Jugend noch den Plato und dessen ersten Nachfolger den Xenokrates gehört, und in ihrer Schule die Maximen eingesogen habe, deren Ausübung ihn sein ganzes Leben durch und bis zu seinem Sokratischen Tode[105] zum tugendhaftesten Manne seiner Zeit machte, bezeugt Plutarch in seiner Lebensbeschreibung.

„Gesetzt“, spricht Phanias, „daß dieses richtig sey, 1290
So ist doch was von Zahlen und Ideen
Und Dingen, die kein Aug' gehört, kein Ohr gesehen,
Theophron schwatzt, handgreiflich Träumerey?“

„Und mit den nehmlichen Ideen
War doch Archytas [107] einst ein wirklich großer Mann! 1295
Auch Seelen dieser Art erzeuget dann und wann
(Zwar sparsam) die Natur. Man wird zum Geisterseher
Geboren, wie zum Feldherrn Xenophon*,
Wie Zeuxis zum Palett[110], und Philipps Sohn[111] zum Thron.
Und in der That, was hebt die Seele höher, 1300
Was nährt die Tugend mehr? erweitert und verfeint
Des Herzens Triebe so, als glänzende Gedanken
Von unsers Daseyns Zweck? — das Weltall ohne Schranken,
Unendlich Raum und Zeit, die Sonne die uns scheint
Ein Funke nur von einer höhern Sonne, 1305
Unsterblich unser Geist, Unsterblichen befreundt,
Und, ahmt er Göttern nach, bestimmt zu Götterwonne!“

„Bey allen Grazien! (ruft lachend Phanias)
Du wirst noch mit der Zeit die Sphären singen hören!

* *wie zum Feldherrn Xenophon*[108]: In den vorigen Ausgaben lautete diese Stelle so:

— Man wird zum Geisterseher
Geboren wie zum Held, wie zum Anakreon[109].

Da das Wort Held kein Indeclinabile ist, und in allen seinen Biegefällen Helden lautet, so mußte es, nicht zum Held, sondern zum Helden, heißen. Da dieß aber nicht in den Vers passen wollte, so mußte der Held hier ein Opfer der Sprachrichtigkeit werden, und auch Anakreon, wiewohl unschuldig, konnte seinen Platz nicht behalten. Die neue Lesart, wodurch dem Sprachfehler abgeholfen worden ist, hat außerdem, daß der Gedanke an Wahrheit nichts dadurch verliert, noch den Vorzug, sich mit dem folgenden Verse richtiger zu verbinden. — Daß man von Xenophon vorzüglich sagen könne, er sey zum Feldherrn geboren gewesen, scheint sich hinlänglich dadurch erwiesen zu haben, daß er, als er nach dem Tode des jüngern Cyrus aus einem bloßen Freywilligen, der die Dienste eines gemeinen Soldaten verrichtete, auf einmahl zum Rang eines Feldherren stieg, auch die Talente eines Feldherren in einem Grade zeigte, der ihm bis auf diesen Tag einen Platz unter den Meistern der Kriegskunst erhalten hat.

Vor wenig Stunden gab dieß Galimathias[112] 1310
Dir Stoff zum Spott" –
„Der Mann, nicht seine Lehren;
Das Wahre nicht, obgleich (nach aller Schwärmer Art)
Sein glühendes Gehirn es mit Schimären paart,
Nur diese trifft der Spott. – Doch stille! wir versteigen
Uns allzu hoch. Ich wollte dir nur zeigen, 1315
Daß dich dein Vorurtheil für dieses weise Paar
Nicht schamroth machen soll. Nichts war
Natürlicher in deiner schlimmen Lage.
Der Knospe gleich am kalten Märzentage
Schrumpft, wenn des Glückes Sonnenschein 1320
Sich ihr entzieht, die Seel' in sich hinein.
Entfiedert, nackt, von allem ausgeleeret
Was sie für wesentlich zu ihrem Wohlseyn hielt,
Was Wunder, wenn sich ihr ein Lehrbegriff empfiehlt,
Der sie die Kunst es zu entbehren lehret? 1325
Der ihr beweist, was nicht zu ihr gehöret,
Was sie verlieren kann, sey keinen Seufzer werth;
Ja, ihren Unmuth zu betrügen,
Aus der Entbehrung selbst ein künstliches Vergnügen
Ihr, statt des wahren, schafft? – Was ist so angenehm 1330
Für den gekränkten Stolz, als ein System,
Das uns gewöhnt für Puppenwerk zu achten
Was aufgehört für uns ein Gut zu seyn?
Was, meinst du, bildete der Mann im Faß[113] sich ein,
Der, groß genug Monarchen zu verachten, 1335
Von Philipps Sohn[111] nichts bat, als freyen Sonnen-
schein?
Noch mehr willkommen muß, im Falle den wir setzen,
Die Schwärmerey des Platonisten seyn,
Der das Geheimniß hat, die Freuden zu ersetzen
Die Zeno[27] nur entbehren lehrt; 1340
Der statt des thierischen verächtlichen Ergetzen
Der Sinne, uns mit Götterspeise nährt.
Wir sehn mit ihm aus leicht erstiegnen Höhen
Auf diesen Erdenball als einen Punkt herab;

Ein Schlag mit seinem Zauberstab 1345
Heißt Welten um uns her bey Tausenden entstehen;
Sind's gleich nur Welten aus Ideen,
So baut man sie so herrlich als man will;
Und steht einmahl das Rad der äußern Sinne still,
Wer sagt uns, daß wir nicht im Traume wirklich
sehen? 1350
Ein Traum, der uns zum Gast der Götter macht —"

„Hat seinen Werth — zumahl in einer Winternacht",
Ruft Phanias: „allein auch aus den schönsten Träumen
Ist doch zuletzt Endymion[41] erwacht!
Wozu, Musarion, aus Eigensinn versäumen 1355
Was wachend uns zu Göttern macht?"

An Antworts Statt reicht sie, zum stillen Pfand
Der Sympathie, ihm ihre schöne Hand.
Er drückt mit schüchternem Entzücken
Sie an sein schwellend Herz, und sucht in ihren Blicken 1360
Ob sie sein Klopfen fühlt. Ein sanftes Wiederdrücken
Beweist es ihm. Mit manchem süßen Ach,
Das ihr im Busen zu ersticken
Unmöglich ist, bekämpft sie allzu schwach
Die Macht des süßesten der Triebe, 1365
Und kämpfend noch bekennt ihr Herz den Sieg der Liebe.

Der schönste Tag folgt dieser schönen Nacht.
Mit jedem neuen fühlt sich unser Paar beglückter,
Indem sich jedes selbst im andern glücklich macht.
Durch überstandne Noth geschickter 1370
Zum weiseren Gebrauch, zum reitzendern Genuß
Des Glückes, das sich ihm so unverhofft versöhnte,
Gleich fern von Dürftigkeit und stolzem Überfluß,
Glückselig, weil er's war, nicht weil die Welt es
wähnte,
Bringt Phanias in neidenswerther Ruh 1375
Ein unbeneidet Leben zu;

In Freuden, die der unverfälschte Stempel
Der Unschuld und Natur zu ächten Freuden prägt.
Der bürgerliche Sturm, der stets Athen bewegt,
Trifft seine Hütte nicht – den Tempel 1380
Der Grazien, seitdem Musarion sie ziert.
Bescheidne Kunst, durch ihren Witz geleitet,
Giebt der Natur, so weit sein Landgut sich verbreitet,
Den stillen Reitz, der ohne Schimmer rührt.
Ein Garten, den mit Zephyrn und mit Floren[106] 1385
Pomona[114] sich zum Aufenthalt erkohren;
Ein Hain, worin sich Amor gern verliert,
Wo ernstes Denken oft mit leichtem Scherz sich gattet;
Ein kleiner Bach von Ulmen überschattet,
An dem der Mittagsschlaf ihn ungesucht beschleicht; 1390
Im Garten eine Sommerlaube,
Wo, zu der Freundin Kuß, der Saft der Purpurtraube,
Den Thasos[115] schickt, ihm wahrer Nektar däucht;
Ein Nachbar, der Horazens Nachbarn gleicht*,
Gesundes Blut, ein unbewölkt Gehirne, 1395
Ein ruhig Herz und eine heitre Stirne,
Wie vieles macht ihn reich! Denkt noch Musarion
Hinzu, und sagt, was kann zum frohen Leben
Der Götter Gunst ihm mehr und bessers geben?
Die Weisheit nur, den ganzen Werth davon 1400
Zu fühlen, immer ihn zu fühlen,
Und, seines Glückes froh, kein andres zu erzielen!
Auch diese gab sie ihm. Sein Mentor war
Kein Cyniker[42] mit ungekämmtem Haar,
Kein runzligter Kleanth, der, wenn die Flasche blinkt, 1405

* *Horazens Nachbarn gleicht:* Vermuthlich hatte der Dichter die Stelle im 6ten der Horazischen Sermonen (des 2ten Buchs) im Sinne:

Cervius haec inter vicinus garrit aniles
Ex re fabellas[116], u.s.w.

wo Horaz den alten Nachbar Cervius die berühmte Fabel von der Feldmaus und Stadtmaus in einem so unnachahmlich gutlaunigen und verständigen Ton erzählen läßt, daß man nicht umhin kann, den Dichter eben so sehr wegen seines Nachbars Cervius als wegen seines Sabinums[117], und des frohen Lebensgenusses, den es ihm gewärte, glücklich zu preisen.

Wie Zeno spricht und wie Silenus trinkt:
Die Liebe war's. – Wer lehrt so gut wie sie?
Auch lernt' er gern, und schnell, und sonder Müh,
Die reitzende Philosophie,
Die, was Natur und Schicksal uns gewährt, 1410
Vergnügt genießt, und gern den Rest entbehrt;
Die Dinge dieser Welt gern von der schönen Seite
Betrachtet; dem Geschick sich unterwürfig macht,
Nicht wissen will was alles das bedeute,
Was Zeus aus Huld in räthselhafte Nacht 1415
Vor uns verbarg, und auf die guten Leute
Der Unterwelt, so sehr sie Thoren sind,
Nie böse wird, nur lächerlich sie findt
Und sich dazu, sie drum nicht minder liebet,
Den Irrenden bedau'rt, und nur den Gleißner flieht; 1420
Nicht stets von Tugend spricht, noch, von ihr sprechend,
glüht,
Doch, ohne Sold und aus Geschmack, sie übet;
Und, glücklich oder nicht, die Welt
Für kein Elysium, für keine Hölle hält,
Nie so verderbt, als sie der Sittenrichter 1425
Von seinem Thron – im sechsten Stockwerk sieht,
So lustig nie als jugendliche Dichter
Sie mahlen, wenn ihr Hirn von Wein und Phyllis glüht.

So war, so dacht' und lebte Phanias,
Und weil er war – wornach wir andern streben, 1430
So that er wohl, zu seyn, zu denken und zu leben,
So wie er that. – „Das mag er denn! – Und was
Ward aus dem Manne, der so gerne – Sphären maß?"
Gut, daß ihr fragt, den hätt' ich rein vergessen –
Er ward in einer einz'gen Nacht 1435
Zum γνῶθι σεαυτόν[118] in Chloens Arm gebracht*;

* Zum γνωθι σεαυτον, d. i. zur Selbsterkenntniß, welche diese zwey über die Pforte des Tempels zu Delphi geschriebenen Worte empfahlen, als den besten Rath, den der Delphische Gott allen Sterblichen, die sich bey ihm Rathes erhohlten, ertheilen konnte.

Er fand er sey nicht klug, und lernte Bohnen essen.
„Und Herr Kleanth?“ – Der kroch, so bald die Mittags-
sonne
Ihn aufgeweckt, ganz leise auf den Zehn
Aus seinem Stall – vielleicht in eine Tonne; 1440
Kurz, er verschwand, und ward nicht mehr gesehn.

ANMERKUNGEN

VORREDE AN WEISSE

1. *Weisse,* der seinerzeit berühmte Singspieldichter, Dramatiker und Lyriker Christian Felix Weisse (1726–1804) hatte wenige Monate vorher das „Musarion"-Manuskript Wielands neuem Verleger in Leipzig dringend empfohlen. Aus diesem Grunde kann Wieland in seiner Widmung an Weisse auch von „unsrer Musarion" sprechen.
2. *Reich,* Philipp Erasmus Reich, Geschäftsführer und Teilhaber der Weidmannschen Buchhandlung, Wielands Verleger in Leipzig seit 1768.
3. *Ziegra,* Christian Ziegra (1719–78), Kanonikus an der Domkirche in Hamburg, Herausgeber der „Hamburgischen Nachrichten aus dem Reiche der Gelehrsamkeit" (1758–71), welche man „ihrer gallichten Natur halber, die schwarze Zeitung nannte" (vgl. Wielands „Sämmtliche Werke", Hrsg. J. G. Gruber, Bd. 50, 1827, S. 493).
4. *quo pius Aeneas . . . Ancus,* Horaz, Carmina IV, 7, 15: „wo der fromme Aeneas, der reiche Tullus und Ancus sind" (nämlich bei den Toten).
5. *Hierophanten,* Priester und Lehrer heiliger Bräuche, besonders in den Eleusinischen Mysterien. Hier: Heuchler.
6. *Helvetius,* Claude Adrien Helvétius (1715-71), französischer Philosoph, Hauptvertreter des Sensualismus und Materialismus.
7. *juvenalischen,* Decimus Junius Juvenalis (um 58–140 n. Chr.), römischer Satirendichter.
8. *geschrieben stehet,* vgl. „Musarion" Vers 767 f. Wieland ist der Urheber der nachfolgenden Redensart.
9. *Psyche,* eine Fragment gebliebene Dichtung Wielands, deren Bruchstücke er teils im Anhang zu seinen „Grazien" (1770), teils 1774 in seiner Zeitschrift „Der Teutsche Merkur" veröffentlicht hat. Weisse hatte im Winter 1768/69 eine Abschrift des „Psyche"-Manuskripts erhalten.
10. *Pilpai* oder Pidpai, indischer Weiser, der eine Art von Volksphilosophie durch Märchen- und Fabelerzählungen verbreitet haben soll.
11. *Trismegist,* Hermes Trismegistos galt als der Verfasser hermetischer Schriften, welche die Mythen der Ägypter enthielten.
12. *so blau sie . . . sind,* so wenig sie auch der Wirklichkeit entsprechen. Friedrich Justus Bertuch nennt seine große Märchensammlung „Blaue Bibliothek aller Nationen" (1790–97); vgl. ‚blauen Dunst vormachen'.

13. *Nympholepten,* Wieland macht dazu folgende Anmerkung: „So hießen bey den Griechen eine Art von Wahnwitzigen, von welchen man glaubte, daß sie von dem unversehenen Anblick einer Nymphe den Verstand verloren hätten“ (vgl. Wielands Akademie-Ausgabe, I. Abteilung, Bd. 7, S. 208).
14. *coische Gewänder,* Wieland erläutert: „Eine sehr feine Art von Flor, die auf der Insel Kos verfertigt wurde“ (a. a. O., S. 208).
15. *unglückliche Fehde,* der schon über zehn Jahre währende Streit zwischen dem Schweizer Dichter und Kritiker Johann Jakob Bodmer (1698–1783) und Weisse, den Wieland hier zu schlichten sucht, hatte 1769 gerade seinen Höhepunkt erreicht, als Bodmer seine hämische Parodie („Der neue Romeo. Eine Tragikomödie“) auf Weisses bürgerliches Trauerspiel „Romeo und Julie“, das 1767 im 5. Band von Weisses „Beytrag zum deutschen Theater“ erschienen war, veröffentlichte.
16. *einigen Ungenannten,* gemeint ist vor allem Friedrich Justus Riedel (1742–85), den Wieland selbst veranlaßt hatte, gegen Bodmer aufzutreten, was dieser jedoch, Wielands Meinung nach, allzu grob getan hatte.
17. *Warthausen,* Wieland, der in Biberach lebte, weilte häufig als Gast des Grafen Stadion auf dem nahe gelegenen Schloß Warthausen.

MUSARION

1. *Phanias,* aus Eresos auf Lesbos stammender Schüler des Aristoteles und Geschichtsschreiber.
2. *der neuen Deutschen Übersetzung,* Wieland bezieht sich hier auf seine eigene Übersetzung „Lucians von Samosata Sämmtliche Werke“, 1788 f.
3. *in Cynischem Gewand,* in armseliger, vernachlässigter Kleidung, wie sie von den Kynikern getragen wurde; vgl. Anmerkung 42.
4. *Komus,* Komos, fröhliches Zechgelage, Festschmaus, Gastmahl; hier personifiziert.
5. *Medusen,* hier Akkusativ Singular; eine der Gorgonen, deren Anblick versteinerte.
6. *Danae,* Tochter des Akrisios von Argos, Geliebte des Zeus, der sie in Gestalt eines goldenen Regens besuchte.
7. *Patroklus,* Freund und Gefährte des Achill; hier für jeden treuen Freund.
8. *Lais,* berühmte Hetäre in Korinth, Zeitgenossin des Aristippos; eine der Hauptpersonen in Wielands Roman „Aristipp“ (1800 f.).
9. *setzt . . . wie Herkules, sich auf den Scheidweg hin,* in der berühmten Fabel des Sophisten Prodikos (eines Zeitgenossen des Sokrates) „Herkules am Scheidewege“, die viele moderne

Nachdichtungen hervorgerufen hat (vgl. Wielands Singspiel „Die Wahl des Herkules", 1773), entscheidet sich der junge Held für die Tugend und gegen das Laster.

10. *Amorinen*, Amorinnen, weibliche Eroten, Amoretten, kleine Liebesgötter.
11. *im Plutarch*, d. h. in der Sammlung von Lebensbeschreibungen berühmter Männer, die der griechische Philosoph und Historiker Plutarchos (um 50–125 n. Chr.) verfaßte.
12. *in einem andern Gesang*, Horaz, Carmina II, 7.
13. *S. die erste Erläuterung* . . ., in Wielands eigener Übersetzung der Briefe des Horaz, 1782.
14. *Süß ist's, und ehrenvoll fürs Vaterland zu sterben*, Horaz, Carmina III, 2, 13: dulce et decorum est pro patria mori.
15. *Der Sphären mystischen verworrnen Tanz*, nach der Lehre der Pythagoreer bewegen sich die Planeten reigenartig um ein großes Zentralfeuer, wobei sie für Sterbliche nicht hörbare Töne (Sphärengesang) erzeugen; vgl. die Anmerkung Wielands auf S. 44f.
16. *Minervens Schild*, der Gelehrte, der Weise steht unter dem Schutz der Minerva (Pallas Athene), die die Göttin des Krieges, aber auch der Weisheit ist.
17. *Styx und Acheron*, Flüsse der Unterwelt.
18. *in Phalaris durchglühtem Stier verdärbe*, Phalaris, im 6. Jh. v. Chr. Tyrann von Agrigent, ließ seine Opfer in einem glühenden ehernen Stier langsam und qualvoll verbrennen.
19. *Phryne*, berühmte griechische Hetäre; *in Phrynens Arm*, durch Laster.
20. *Xenokrat*, Xenokrates, Schüler Platons und Lehrer Zenons, soll selbst den Reizen einer Phryne widerstanden haben.
21. *Cytherea*, Beiname der Aphrodite, die bei der Insel Kythera (Cerigo) dem Schaum des Meeres entstiegen war.
22. *Wette, die Pallas einst verlor*, Pallas Athene (Minerva) unterlag mit Hera (Juno) der Aphrodite (Venus) im Wettstreit der Schönheit um den Apfel der Göttin Eris. Vgl. Wielands Verserzählung „Das Urtheil des Paris" von 1765.
23. *Oreade*, Bergnymphe.
24. *Daß Daphne* . . . *fliehn, Apollo keuchend folgen sollte*, Daphne, eine Nymphe der Artemis, floh vor dem liebenden Apollon, rief Zeus um Schutz an und wurde in einen Lorbeerbaum verwandelt.
25. *der Hirt von Ilion*, Paris.
26. *Adon*, Adonis, Geliebter der Aphrodite.
27. *Zenon*, hier ist von den beiden Philosophen gleichen Namens der jüngere, der Begründer der Stoa, gemeint.
28. *Glycera*, Name einer griechischen Hetäre.
29. *zu passen*, wartend zuzubringen.

30. *Timon,* vgl. Wielands Anmerkung auf S. 13.

31. *Witz,* im älteren Sprachgebrauch: scharfsinnige Einbildungskraft, Klugheit, Verstand.

32. *Bathyl,* Bathyllos, ein Jüngling, dessen Schönheit von Anakreon besungen wurde.

33. *die Kunst dich immer zu vergnügen,* der Begriff des „Vergnügens" im 18. Jh. schließt immer auch ein „Sich-Begnügen", ein „Sich-Bescheiden" mit ein.

34. *Diogen,* Diogenes; vgl. die Anmerkung 42.

35. *Seelen,* Genitiv Singular.

36. *Pracht, die ihm der Indus zollt,* prächtige Gegenstände, die er aus dem wegen seiner Kostbarkeiten berühmten Indien bezogen hat.

37. *schlechte Speisen,* im älteren Sprachgebrauch: schlichte, einfache Speisen.

38. *Zephyrn,* Zephire, milde Westwinde.

39. *jedem Midas,* jedem, der wie der sagenhafte König Midas, dem sich alles, was er berührte, in Gold verwandelte, nichts als Gold besitzt.

40. *Irus,* Iros, ein Bettler auf Ithaka; ein armer Mann (Gegensatz: Krösus).

41. *Endymion, dem Luna . . . so schöne Träume gab,* Endymion wurde, nach einer der Sagen, von Selene (Luna) überrascht und in einen ewigen Schlaf versenkt. Vgl. Wielands Verserzählung „Endymion" von 1765.

42. *Diogenes, der Hund,* Diogenes von Sinope (gest. 323 in Korinth) wurde wegen seiner zur Lebensphilosophie erhobenen Bedürfnislosigkeit spöttisch der Hund (Kyon), seine Anhänger die Hündischen (Kyniker) genannt.

43. *Koypel,* gemeint ist wahrscheinlich das Bild „L'Amour maître du monde" des französischen Rokokomalers Charles Antoine Coypel (1694–1752).

44. *Ziegenfüßler,* Satyrn, Faune.

45. *Kleanth,* aus Assos, Schüler und Nachfolger des Stoikers Zenon.

46. *Ceres,* Göttin, Schwester des Jupiter.

47. *Pythagorischen (Sphären),* spielt auf die Lehre der Pythagoreer von der Kugelgestalt der Weltkörper und des Weltganzen an.

48. *Stoa,* eigentlich eine mit Gemälden geschmückte Halle in Athen, in der Zenon seine Vorträge zu halten pflegte; daher wird seine Philosophie die stoische oder auch einfach „Stoa" genannt.

49. *Anubis,* eine ägyptische Gottheit, in vieler Hinsicht dem Hermes der Griechen oder dem Merkur der Römer ähnlich. *Beym Anubis,* Schwur des Sokrates.

50. *si fabula vera est:* wenn die Geschichte wahr ist.

51. *Skythisch,* die Skythen galten den Griechen für das roheste und ungeschliffenste Barbarenvolk.

52. *sie,* gemeint ist Musarion.
53. *Menander,* griechischer Komödiendichter (342–290 v. Chr.).
54. *Goldon,* Carlo Goldoni (1707–93), italienischer Komödiendichter.
55. *Mäander,* Maeander, ein wegen der Unzahl seiner Krümmungen schon in der antiken Literatur berühmter Fluß in Ionien.
56. *Arkadisch Thier,* ein Schaf.
57. *Amoretten,* Eroten, Liebesgötter.
58. *Tafel . . ., die Ganymedes deckt,* Göttertafel; Ganymedes war Liebling und Mundschenk des Zeus.
59. *Schmaucht,* räuchert.
60. *Kazius,* Catius, epikureischer Philosoph aus Insubrien (gest. 45 v. Chr.).
61. *Falerner,* Falernus ager, das falernische Gebiet in Campanien war wegen seines vortrefflichen Weines berühmt.
62. Wielands eigene Übersetzung.
63. *Cypriens,* Cypria (Kypris), Beiname der Aphrodite; die Insel Kypros (Zypern) war der Hauptsitz des Aphrodite-Kultus.
64. *Citarist,* Cithara, ein der Lyra ähnliches Saiteninstrument.
65. *Korybant,* Korybanten waren Priester der phrygischen Muttergöttin Kybele, deren Gottesdienst sie mit lärmender Musik und rasenden Tänzen begingen.
66. *zu schwärmen,* ebenso wie früher die Reden Kleanths aus ironischen Anspielungen auf die Lehren der stoischen Philosophie bestehen, so bestehen die Reden Theophrons aus neckenden Anspielungen auf gewisse mystische Vorstellungen der pythagoreischen und platonischen Philosophie.
67. *Deukalion,* Sohn des Prometheus; Deukalion und seine Gemahlin Pyrrha retteten sich aus der Sintflut, die Zeus zur Vernichtung der Menschen gesandt hatte, und schufen aus Steinen, die sie hinter sich warfen, ein neues Menschengeschlecht. Vgl. Vergils „Georgica“ I, 62.
68. *Virgils Silen,* in der 6. Ekloge erzählt Vergil, wie der schlafende Silen von zwei Satyrn gefesselt wird und, um sich freizukaufen, einen Gesang über den Ursprung der Welt und andere alte Sagen anstimmt.
69. *Sinus und Tangenten,* aus der wörtlichen Bedeutung dieser mathematischen Begriffe (Sinus = bauschige Rundung, Busen; Tangenten = Berührende) ergibt sich die frivole Anspielung.
70. *die Lambert,* Männer wie (der Mathematiker, Astronom und Philosoph Johann Heinrich) Lambert (1728–77).
71. *Charitinnen,* (griech.) Charis, Grazien.
72. Vgl. die Anmerkung 9.
73. *Amathunt,* Stadt an der Südküste von Zypern, Hauptsitz der kyprischen Aphrodite.
74. *Sybarit,* Schlemmer, Wollüstling; nach den Einwohnern einer griechischen Stadt des Altertums (Sybaris) in Unteritalien.

75. *gatten,* in älterer Sprachbedeutung: zusammenbringen, vermischen, verbinden, vereinigen; vgl. hierzu Vers 816 und 1388.
76. *Gnid,* Knidos, griechische Stadt in Karien (Kleinasien), berühmt durch ihren Aphroditen-Kultus und ihre Aphroditen-Marmorstatue, ein Meisterwerk des Praxiteles.
77. *Est aliquid . . . Sapiens:* Es gibt etwas, worin der Weise Gott übertrifft; es liegt in der Natur Gottes, sich nicht zu fürchten, der Weise überwindet die Furcht aus eigener Kraft.
78. *Sapiens tam . . . non vult:* Ebenso wie Jupiter sieht der Weise alles bei den anderen Menschen mit Gleichmut an und schätzt es gering; und er achtet sich selbst deshalb mehr (als Gott), weil Jupiter von allen irdischen Gütern keinen Gebrauch machen kann, während der Weise sie nicht nutzen will.
79. *Adept,* der in die Geheimnisse der Mysterien oder der Alchimie eingedrungen ist: ein Eingeweihter.
80. *Scipio,* der Jüngere, Publius Scipio Africanus (185-129 v. Chr.).
81. *Jamblichus,* gemeint wahrscheinlich der griechische Romanschriftsteller Jamblichos, der um 160 n. Chr. den Roman „Babyloniaka" schrieb.
82. *Hoc sonitu . . . in vobis:* Deshalb werden die mit diesem Geräusch angefüllten Ohren der Menschen taub, und es gibt keine Empfindung in euch, die stumpfer ist.
83. *Salomonis Siegel,* Salomon galt im Orient als ein großer Zauberer, sein Siegelring spielt in zahlreichen Märchen eine bedeutende Rolle.
84. *Alban,* Francesco Albani (1578–1660), italienischer Maler.
85. *Theosoph,* („Gottesweiser"), einer, der durch besondere Erleuchtung ein höheres Wissen von Gott und der Welt besitzt.
86. *Pythagor'sches Schweigen,* Pythagoras soll seinen neuen Jüngern ein dreijähriges Stillschweigen auferlegt haben, innerhalb welcher Zeit sie nicht lehren durften.
87. Vgl. Wielands Anmerkung zu S. 36.
88. *Hebens Dienste,* Hebe, Tochter des Zeus, Mundschenkin der Götter.
89. *bärtige Apoll,* Theophron.
90. *Hogarths Laune,* William Hogarth (1697–1764), englischer Maler, vor allem berühmt als Sittenschilderer und Satiriker.
91. *sein Lehrling,* Phanias.
92. *Demitto . . . onus:* Da lasse ich die lieben Ohren hängen wie ein verdrossenes Eselchen, dem eine zu schwere Traglast aufgebürdet ist.
93. *Aristipp,* Aristippos aus Kyrene (geb. um 435 v. Chr.), griechischer Philosoph, Vertreter des Hedonismus, wonach Glück und Ziel des Menschen im Gefühl der Lust besteht.
94. *Circens Stall,* im 10. Gesang der „Odyssee" verwandelt die Zauberin Circe die Gefährten des Odysseus in Schweine und sperrt sie in einen Stall.

95. *Phyllis,* wie Chloe ein beliebter Mädchenname der antikisierenden Dichtung.
96. *praelia virginum . . . acrium:* (Ich singe nur) von den Kämpfen der Mädchen, die den Jünglingen mit stumpfen Nägeln drohen.
97. *Ritterbuch,* gemeint ist hier vor allem der Heroische Roman des 16. und 17. Jh.
98. *verdringen,* verdrängen.
99. *Die Künste, die Ovid in ein System gebracht,* Publius Ovidius Naso (43 v. Chr. bis 17 n. Chr.) lieferte in seiner berühmten „Kunst zu lieben" (Ars amandi) ein Lehrbuch der Liebe.
100. *Bacchanten,* Teilnehmer an dem orgiastischen Kultus des Bacchus, Weinsäufer.
101. *Herakliden,* Söhne und Nachkommen des Herakles, die den Peloponnes eroberten.
102. *die Aristiden,* Männer wie der berühmte athenische Staatsmann und Feldherr Aristeides (gest. um 467 v. Chr.).
103. *Die Phocion,* Männer wie der redliche athenische Feldherr Phokion (gest. 318 v. Chr.). Vgl. die folgende Anmerkung Wielands.
104. *die Leonidas,* Männer wie der berühmte spartanische König Leonidas, der bei der Verteidigung der Thermopylen 480 v. Chr. den Tod fand.
105. *Sokratischen Tode,* Phokion wurde von den Athenern als Makedonenfreund angeklagt und mußte, wie Sokrates, den Schierlingsbecher trinken.
106. *Floren,* Flora: Göttin der Blumen und der Feldfrüchte.
107. *Archytas,* Archytas von Tarent, Zeitgenosse Platons, pythagoreischer Philosoph, bedeutender Mathematiker, Staatsmann und Feldherr; ihn machte Wieland zu einer Hauptfigur in seinem Roman „Geschichte des Agathon".
108. *Xenophon,* Geschichtsschreiber, Philosoph und Feldherr (um 430–354 v. Chr.).
109. *Anakreon,* griechischer Lyriker aus Teos in Ionien (gest. um 495 v. Chr.).
110. *Zeuxis zum Palett,* wie der griechische Maler Zeuxis aus Herakleia zur Palette (zum Malen).
111. *Philipps Sohn,* Alexander der Große.
112. *Galimathias,* sinnloses, verworrenes Gerede, Geschwätz.
113. *der Mann im Faß,* Diogenes.
114. *Pomona,* Göttin der Baumfrüchte.
115. *Thasos,* Insel im Ägäischen Meer, reich an Wein und Nüssen.
116. *Cervius haec . . . fabellas:* Cervius tischt dabei Geschichten auf, wie sie die Großmutter erzählt.
117. *Sabinum,* sabinus ager, das Landgut des Horaz, das er von Maecenas erhalten hatte.
118. *Gnōthi sĕautón,* (nosce te ipsum) erkenne dich selbst!

NACHWORT

Wielands ‚Musarion' ist, man mag sie ansehen von welcher Seite man will, eines von den Meisterstücken, welche zu lesen und zu betrachten man niemals satt wird. Sie gleicht jenen seltenen Schönheiten, welche unser Herz nicht allmählig, sondern mit einmal erobern, und auf den ersten Blick alle unsere Sinne bezaubern.

Johann Jakob Hottinger, 1789

... ein Stoff, wie er in der, mit unglaublichem Beifall aufgenommenen ‚Musarion oder *Philosophie der Grazien' verarbeitet ist, und in nichts anderm besteht, als in der Doctrin des Sinnenkitzels, ist kein Inhalt an dem Generationen sich erfrischen, stärken, nähren und erbauen können — er ist üppige Näscherei, wenn nicht geradezu Gift, durch welches die edelsten Organe zerstört und die kommenden Geschlechter geschwächt, gelähmt, verkrüppelt werden.* Der Wielandschen Dichtung kann *sich nur das versunkenste Individuum, nur eine in Kraftlosigkeit, Ohnmacht und Fäulnis verfallene Gesellschaft, nur eine der völligen Auflösung aller sittlichen, religiösen und politischen Bande entgegen gehende Nation zuwenden.*

August Vilmar, 1852

Treffender als mit diesen beiden Aussagen läßt sich der totale Wandel im Urteil der Zeiten kaum kennzeichnen, dem Wielands *Musarion* anheimfiel. Und nicht nur der *Musarion*, dem Gesamtwerk des einst so gefeierten Dichters, der sich der außerordentlichen Wertschätzung eines Lessing, Lichtenberg, Herder, Goethe erfreuen, den ein Schiller noch kurz vor der Jahrhundertwende *den unsterblichen Verfasser des ‚Agathon', ‚Oberon' etc.* nennen konnte, begegnet das 19. Jahrhundert mit unverhohlener Verachtung. Die Wende bildet die deutsche Frühromantik. Sie scheidet nicht allein zwei Jahrhunderte, sie zieht eine scharfe Trennungslinie zwischen zwei Epochen. Die eine beginnt im Renaissancezeitalter und endet mit der deutschen Klassik, die andere, an deren Ausgang wir uns heute befinden, umfaßt das 19. und einen großen Teil des 20. Jahrhunderts.

Die Radikalität dieses Wandels kann man an Wielands *Musarion* ausgezeichnet beobachten. Als die kleine Verserzählung im Herbst 1768 erscheint, wird sie mit einhelligem Entzücken und Jubel begrüßt. Gleich ihr erster Rezensent, Friedrich Justus Riedel, prophezeit: *In kurzer Zeit wird dieses Gedicht in den Händen aller Freunde der Dichtkunst . . . seyn.* Und schon wenige Monate später bestätigt Heinrich Wilhelm von Gerstenberg anläßlich der neuen Prachtausgabe *von einem der anmuthigsten Gedichte . . ., das vielleicht je geschrieben ist: Wer kennt ‚Musarion' nicht? Wer hat ein Herz, und muß sie nicht lieben?* Noch im Jahre der Prachtausgabe werden zwei Nachdrucke notwendig; allein bis 1784 gelangen acht weitere Ausgaben auf den Büchermarkt. 1769 erscheint die erste Übersetzung ins Französische (bis 1808 gibt es schon über ein halbes Dutzend), etwas später ins Dänische, Italienische, Englische. Und noch 1809 kommt es in Wien — überhaupt wird in Österreich das Andenken Wielands weit länger gepflegt als in Deutschland — zu einer weiteren Prachtausgabe.

Kronzeuge dieses *unglaublichen Beifalls* der Zeitgenossen ist kein Geringerer als der junge Goethe. Über vierzig Jahre später erinnert sich der 63jährige Verfasser von *Dichtung und Wahrheit* (1811, im 7. Buch) noch genau des Ortes, wo er 1768 die frischen Aushängebogen der *Musarion* zu Gesicht bekam: *Hier war es, wo ich das Antike lebendig und neu wieder zu sehen glaubte. Alles, was in Wielands Genie plastisch ist, zeigte sich hier aufs vollkommenste.* Adam Friedrich Oeser hat seinen Schüler auf die Dichtung aufmerksam gemacht, Oeser trägt er sie auch vor; und der junge Leipziger Student begeistert sich an der *großen Anmuth* des so *gefaßten* und *genauen* Werkes. Dieser erste große Eindruck ist ein bleibender. Goethes Briefe und Werke aus der Frankfurter Zeit (Herbst 1768 bis Frühjahr 1770) zeugen von der intensiven Beschäftigung mit dem Dichter der *Musarion*, des *Agathon* und der *Idris*. Verse aus der *Musarion* werden Freunden ins Tagebuch eingetragen. Ja, unmittelbar vor seinem Aufbruch nach Straßburg bezeichnet Goethe Oeser, *Schäkespearen* und Wieland als seine Vorbilder und schreibt: nach jenen *ist Wieland noch der einzige, den ich für meinen ächten Lehrer erkennen kann.* Sogar mitten in seiner Sturm-und-Drang-Periode überrascht er mit dem Geständnis: *Seine ‚Musarion' – ein Werk, wovon ich jedes Blatt auswendig lernte, das allervortreflichste Ganze, das je erschienen ist . . .!* – Und wie Goethe noch im hohen Alter über den *Musarion*-Dichter urteilte, geht nicht nur aus *Dichtung und Wahrheit* und aus den Gesprächen mit Eckermann hervor. Auf der Trauerfeier der Loge Amalia (am 18. Februar 1813) errichtet er dem Verstorbenen in seiner Ansprache das würdigste Denkmal und bringt dem Gedächtnis Wielands und besonders der *Musarion* in seinem *Maskenzug* vom Dezember 1818 noch einmal die schönste Huldigung dar.

Doch die Worte Goethes und anderer älterer Zeitgenossen verhallten ungehört. Längst war eine neue Generation auf dem Plan erschienen, hatte das vernichtende Urteil gesprochen, die literarische Hinrichtung vollzogen. Der junge Tieck, die Brüder Schlegel waren die Wortführer des Prozesses, undeutsche Ausländerei, Sittenlosigkeit und Mangel an Christentum die Hauptpunkte der Anklage, die im Zeitalter der romantisch-christlichen und national-germanischen Literaturgeschichtsschreibung allerdings sich tödlich auswirken mußten. Vereinzelte maßvollere Stimmen wurden vom lautstarken Chor radikaler Verächter überschrien und Wielands Werke aus den populären Anthologien, aus Schule und Haus so gründlich und so nachhaltig verbannt, daß man in der Tat befürchten muß, daß ein großer Teil der heutigen Leserwelt erst durch die vorliegende Ausgabe einer Dichtung Wielands, eines der glänzendsten Stilisten deutscher Zunge, zum ersten Mal begegnen wird.

Als die *Musarion* 1768 erscheint, zählt der 35jährige Wieland bereits zu den literarischen Berühmtheiten Deutschlands. Dennoch bezeichnet diese Verserzählung den eigentlich entscheidenden Wendepunkt in dem außerordentlich wechselvollen Entwicklungsgang des Dichters. In Schwaben 1733 als Sohn eines protestantischen Pfarrers geboren, werden sein Elternhaus und seine streng pietistische Erziehung bestimmend für die pietistisch-empfindsame Haltung seiner Jugenddichtung. Doch schon als Schüler in Klosterberge, dann als Student in Erfurt und Tübingen kommt er mit aufklärerisch-philosophischen, ja freidenkerischen Schriften in Berührung, die auf den bildsamen und geistig äußerst beweglichen Jüngling großen Eindruck machen und zum Teil auch in seiner Tübinger Produktion ihren Niederschlag finden. So zeigt sich also schon sehr früh jener Zwiespalt zwischen den Extremen, der für Wieland später so charakteristisch werden soll.

Zunächst behauptet jedoch die christlich-empfindsame, moralisierende Dichtung das Feld, namentlich unter dem starken Einfluß Bodmers, der den Neunzehnjährigen 1752 in sein Züricher Haus aufnimmt und zu seinem Schüler und Parteigänger macht. Wieland bewährt sich vor allem in der christlich-moralischen, empfindsamen Lehrdichtung im Gefolge Miltons, Youngs, Klopstocks und Bodmers, wird Kampfgenosse der Schweizer gegen Gottsched und geißelt 1756 mit unerhörter Heftigkeit Johann Peter Uz und die Anakreontiker des deutschen Rokoko als *Prediger der Wollust und Ruchlosigkeit.* Trotz aller äußeren Schärfe dieses Angriffs ist Wieland jedoch nur noch mit halbem Herzen beteiligt: die Loslösung aus dem Bodmerkreis hat schon begonnen. Wachsenden Einfluß gewinnt die Literatur des französischen Kulturkreises, und die Dichtungen und Briefe der folgenden Zeit kündigen immer deutlicher den großen Wandel an, den die Zeitgenossen mit einem Erstaunen verfolgten, das man nur begreifen kann, wenn man bedenkt, welchen Ruhm der Jüngling als *seraphischer* Dichter damals schon gewonnen hatte.

1760 kehrt Wieland als Ratsherr und Kanzleidirektor der Reichsstadt Biberach in seine schwäbische Heimat zurück. Und hier nun, besonders im weltmännischen Kreis um den großen

Grafen Stadion auf dem nahen Schloß Warthausen, vollzieht sich der völlige Umschwung. Neben der Shakespeare-Übersetzung (1762 ff.) entsteht sein erster großer Roman im Gefolge der Cervantes und Fielding: *Die Abenteuer des Don Sylvio von Rosalva* (1764), die den bezeichnenden Titel *Der Sieg der Natur über die Schwärmerey* tragen. Hier entstehen vor allem die frivolen *Comischen Erzählungen* (1765), Meisterstücke rokokohafter Erzählkunst in Deutschland, in denen der Dichter statt mit Milton, Young und Klopstock nun mit der leichtgeschürzten Muse eines Boccaccio, La Fontaine und Prior wetteifert. Wieland fällt von einem Extrem ins andere: zum Entsetzen der früheren Freunde entpuppt sich der Seraph als Satyr! Mit denselben schmelzenden Farben, mit denen der enthusiastische Schwärmer einst die tugendhafte himmlische Liebe besang, werden nun die lüsternen Freuden und verführerischen Reize der irdischen Venus ausgemalt. Und nichts scheint dem Dichter des Rokoko größeres Vergnügen zu bereiten, als die Entlarvung sinnlicher Lüsternheit hinter der hohltönenden Maske der Tugend!

Hier jedoch bleibt der Dichter keineswegs stehen, so sehr auch das Schwanken zwischen den Extremen und der endliche Sieg höchst irdischer Natur über die überirdische Tugendschwärmerei das strukturbestimmende Merkmal aller Wielandschen Dichtung von nun an bleiben wird. Gerade die endlosen Abwandlungen dieses einen Themas legen Zeugnis ab für Wielands Suche und Sehnsucht nach einer Befriedung der Gegensätze, nach einer wahrhaft humanen Mitte zwischen über- und deshalb unmenschlichem Tugendideal und menschlich-allzumenschlicher Hinfälligkeit. Wieland macht es zu seiner Lebensaufgabe, den überkommenen unüberbrückbaren Gegensatz zwischen körperlich-sinnlicher und geistig-seelischer Liebe zu überwinden, wodurch er zum wichtigsten und echtesten Vorläufer der deutschen Klassik wird. Und es geht dem Dichter nicht allein um die harmonische Einheit von sinnlicher und seelischer Liebe; er sucht gleichzeitig Kultur und Natur, Verstand und Herz, Tugend und Genuß, Ethik und Ästhetik miteinander zu versöhnen.

Den ersten bedeutsamen Versuch zur dichterischen Ausgestaltung dieses neuen Harmonie-Ideals unternimmt Wieland in seinem großen psychologischen Bekenntnisroman *Geschichte des Agathon* (1766 f.), der als erster moderner deutscher Entwicklungs- und Erziehungsroman noch Goethes *Wilhelm Meister* unmittelbar befruchtet. Den zweiten Versuch stellt das köstliche Märchen-Epos *Idris* (1768) dar. Beide Werke bleiben jedoch bezeichnenderweise Fragment. Das Epos scheitert an der unendlichen Verspieltheit Wielandscher Rokokolaune, der Roman an der Größe des Vorwurfs. Erst im anspruchsloseren Kleinformat der *Musarion*, die er wohlbegründet und nicht ohne Stolz *als eine neue Art von Gedichten* bezeichnet, *welche zwischen dem Lehrgedicht, der Komödie und der Erzählung das Mittel hält*, erreicht Wieland das Ideal der Kalokagathie: es gelingt ihm die Verkündigung der *Philosophie der Grazien.*

Der Dichter der *Musarion* gibt sich nun nicht mehr damit zufrieden, den hohen Fall des Tugendprahlers ins andere Extrem roher Sinnlichkeit darzustellen, soviel Vergnügen es ihm auch immer noch bereiten mag, den volltrunkenen stoischen Kleanth *mit Bacchischem Triumph* in einen Stall zu befördern, die hochfliegende Schwärmerei des platonischen Theophron in den Armen einer verführerischen Chloe enden oder (im Anfang des dritten Buches) den menschenfeindlichen Asketen Phanias wie einen lüsternen Faun nachts in die Schlafkammer der reizenden Musarion schleichen zu lassen. Mit einem Faun weiß die wahrhaft Liebende ebensowenig anzufangen wie mit einem asketischen Schwärmer; beide sind vom goldenen Maß der Mitte gleich weit entfernt. Phanias muß erst der Welt versöhnt, er muß erst zur heiteren und natürlich-gelösten *Philosophie der Grazien* bekehrt werden, ehe er in arkadischer Ländlichkeit an der Seite einer Musarion Glück und Erfüllung seines Lebens finden kann.

ZUM TEXT DER VORLIEGENDEN AUSGABE

Wielands *Musarion oder die Philosophie der Grazien* wurde zuerst 1768 in der Weidmannschen Buchhandlung zu Leipzig gedruckt, wo auch 1769 eine Prachtausgabe erschien, der wir die Widmungsvorrede an Christian Felix Weisse entnommen haben. Die Verserzählung erfuhr zahlreiche Nachdrucke und wurde in die verschiedenen Werkausgaben des Dichters übernommen. Ihre endgültige Gestalt erhielt die *Musarion*, als Wieland sie für seine Ausgabe *Sämmtliche Werke* (letzter Hand, 1794-1802) überarbeitete und mit reichem Kommentar versehen im neunten Band (der Oktavausgabe) erscheinen ließ. Diese Ausgabe wurde dem vorliegenden Druck zugrunde gelegt.

Abgesehen von wenigen, unten besonders aufgeführten Ausnahmen, ist unser Text eine bis in alle Einzelheiten der Orthographie und Interpunktion sich erstreckende treue Abbildung des Originals. Dem Herausgeber schien es wichtig, die alte Patina und damit den Reiz des Historischen zu bewahren, auch wenn dabei einige Inkonsequenzen der Vorlage in Kauf genommen werden mußten. Modernisierungen von Rechtschreibung und Zeichensetzung bleiben ohnehin immer fragwürdig und dürften bei Texten aus dem letzten Drittel des 18. Jahrhunderts eigentlich überflüssig sein. Nur dort sollte die Hand des Herausgebers helfend eingreifen, wo offensichtliche Druckfehler den Text entstellen, wo durch die alte Orthographie und Grammatik Fehldeutungen des Sinns eintreten oder aus dem alten Schriftbild dem modernen Leser erhebliche Leseschwierigkeiten erwachsen können.

Wurden die Eingriffe in den Text des Originals aus den dargelegten Gründen stark beschränkt, so glaubte der Herausgeber, sich bei den Erläuterungen nicht die gleiche Zurückhaltung auferlegen zu müssen, vor allem da die vorliegende Ausgabe sich ja nicht an die kleine Gemeinde von

Wieland-Kennern, sondern an einen größeren und weiteren Leserkreis wendet. Zahlreiche Andeutungen und versteckte Anspielungen auf Zeitgenossen und zeitgenössische Ereignisse, besonders aber auf antike Mythologie, Philosophie und Geschichte (die dem Leser des 18. Jahrhunderts noch vollkommen geläufig waren) mußten entschlüsselt werden. Und auch darüber hinaus: wo immer der Herausgeber bei diesem oder jenem Leser eine leichte Unsicherheit vermuten konnte, half er mit kurzen, stichwortartigen Hinweisen. Da sie in den Anhang verwiesen wurden, braucht sich der Kenner ohnehin von ihnen nicht stören zu lassen.

•

Textänderungen: S. 7, Z. 11: *diejenigen* (aus *diejenige*); S. 10, Z. 27: *alle guten* (aus *alle gute*); S. 10, Z. 37: *schönen Seelen* (aus *schöne Seelen*); Vers 38: *Die letzte* (aus *Der letzte*); Vers 96: *mystischen* (aus *mistischen*); Vers 118: *wälzender* (aus *walzender*); S. 19, Z. 10 v. u.: *Arimaspen* (aus *Arismaspen*); Vers 568: *kennen, ich —* (aus *kennen, ich. —*); S. 38, letzte Zeile: *4. S.* (aus *4. 8.*); Vers 782: *von* (aus *vom*); Vers 784: *wünschenswürdig* (aus *wünschenwürdig*); Vers 940: *Angel,* (aus *Angel.*); S. 48, Z. 6 v. u.: *Weltall* (aus *Welltall*); Vers 1105: *säh'* (aus *sah'*); Vers 1371: *weiseren* (aus *weiteren*); S. 61, Z. 2 v. u.: *Delphische* (aus *Delphiche*).

In Wörtern wie *Filosofie, Sfären, Triumf, Zefyr, Fantasie, Nymfe, Atmosfäre* usw. wurde das Wielandsche *f* durchgehend in ein *ph* geändert (also *Philosophie, Sphären, Triumph* etc.), zumal sich wohl kaum ein Leser an die Schreibung von Namen wie *Falaris, Aristofanes, Fanias, Fyllis, Dafne, Fäaken, Fokion, Fädra* oder *Xenofon* und *Xenofanes* gewöhnen wird. — Der Gebrauch von Anführungszeichen bei direkter Rede ist in der Druckvorlage völlig willkürlich; hier haben wir den Text der modernen Schreibung angenähert.

KLEINE BIBLIOGRAPHIE

Eine Aufzählung von älterer Literatur zu Wielands Werk erübrigt sich aus den im Nachwort dargelegten Gründen. Die beste und modernste Einführung in Wielands Leben und Dichtung liefert das große Buch von F. Sengle (*Wieland*, 1949), einen knappen, aber ausgezeichneten Überblick ein Aufsatz von F. Martini (*C. M. Wieland. Zu seiner Stellung in der deutschen Dichtungsgeschichte im 18. Jahrhundert*), der 1956 in *Der Deutschunterricht* erschien. Besonders mit der Periode, in der die *Musarion* entstand, beschäftigt sich V. Michel in seinem wertvollen Buch *Wieland, la formation et l'évolution de son esprit jusqu'en1772*, Paris 1938. Die besten Darstellungen von Wielands Rokokoepik verdanken wir O. Walzel (*Wielands Versepik*, in: *Jahrbuch für Philologie*, 1927) und F. Sengle (*Von Wielands Epenfragmenten zum ‚Oberon'. Ein Beitrag zu Problem und Geschichte des Kleinepos im 18. Jahrhundert*, in: *Festschrift P. Kluckhohn und H. Schneider*, 1948). Zur *Musarion*-Dichtung speziell sind nur zwei Aufsätze zu nennen: J. R. Asmus untersucht *Die Quellen von Wielands ‚Musarion'*, in: *Euphorion*, 1898; E. Staiger bietet in seiner *Kunst der Interpretation* (1955, S. 97 ff.: *Wieland: Musarion*) eine vorzügliche Analyse der Verserzählung. Auskunft über weitere neue Wielandliteratur geben: F. Martini (*Wieland-Forschung*, in: *Deutsche Vierteljahrsschrift*, 1950), H. W. Seiffert (*Wielandbild und Wielandforschung*, in: *Wieland. Vier Biberacher Vorträge 1953*, 1954) und A. Anger (*Deutsche Rokoko-Dichtung. Ein Forschungsbericht*, 1963, S. 38 ff. u. öfter).

INHALT